JN123727

朗読ステップアップ

朗読ワークショップ2

青木裕子
Yuko Aoki

アーツアンドクラフツ

まえがき

『朗読ワークショップ』に続いて、このたび続編のような『朗読ステップアップ』をだすことになりました。そこでなんだか気持ちが落ち着きません。時間さえかければ朗読が確実にうまくなる方法やツールがあるのだから伝えたい、伝えなければと思う反面、人はそれぞれが充分に美しく、個性を発揮することこそ、生まれてきた価値があるというもの。私の口出しは余計なこと、お前のやっていることは受講生の美しさ豊かさを削いでいることもあるんやで（なぜか大阪弁）、なんて自分で自分を諭している時もあります。

それにもうひとつ落ち着かない理由は、そもそも書かれた文字で声の出し方、使い方を説明できるわけがないという根本的な問題を解決しようがないまま、この大変な山に登り始めてしまったことです。

それに加えて、朗読なり、音声表現のアートな世界なりを、たとえ自分自身が揺るぎなく信じている美への道があるからといって、それをみなさんに一律に提示していいのだろうかという畏れのようなものがあるのです。

それに対して、そんなに自分に厳しい必要なんてない、それこそあなたの自由じゃないかという考えもあって、こと言葉の世界は教える側にまわってみると、一生かかかっても頂上にたどりつけないのは目に見えていると、泣き言をいいたくなります。

しかし、やっぱり今まで面白がってきた道、これから分け入る道を書いておきたい。このごろ『源氏物語』の古文朗読をおそるおそるはじめています。タイムマシンで平安時代に録音機を送れたらなあ。あのころの声が聞きたい、どう読んでいたか、どう話していたか聞きたいと、どんなに願っても浦島太郎の煙のようなもので、だからこそ「今」の朗読を録音して書いておく。

本書の作成にたずさわった皆様に感謝申し上げて、引き続き日本語の朗読と格闘しているこのごろです。

目次

本書の各引用作品の下にあるQRコードにアクセスすると、その作品の朗読（部分）をYouTubeで聴くことができます（無料）。

[Part 1]

ステップアップ
基本編

◉ダミ声ときれいな声

朗読を習いたいという人にどういう朗読がしたいかを聞くと、

「私の声はダミ声で、きれいではありません。もっときれいな声になりたいのだがどうすればいい」

という質問をよく聞きます。ダミ声（濁声）は、読んで字のごとく、にごった感じのする声のことですが、なまりのある声にもいいます。低くて歯ぎれが悪く、耳ざわりな声というイメージです。

一方、「きれいな声」といわれる声は、その逆。高くもなく低くもなく、歯切れがよくてスムーズに耳に入っていきます。「きれいな声」は、聞き手を感心させます。「いい声だなあ」と聞きほれます。けれどそれが逆に内容を伝えるにあたって邪魔になっていることもあるのです。

昔、宇野重吉という俳優がいて――寺尾聰さんのお父さんです――、声はダミ声でした。しかしひとたび朗読すると、声に誘われて、その主人公のいる世界に連れて行かれる。自分の廻りの世界が一転して時空を超えるんです。声の質など意識されなくなり、作品世界が立ち上がるなかに、自分も存在する。やっぱり世界を出現させる力は、声の善し悪しではありません。

◉「きれいな声」は必要ない

「きれいな声」「いい声」という印象を受けるとき、それは話者のメッセージが聴き手に伝わるということです。「私の声、いま、いい声で届いているかしら」という自問を、声は含んでいます。

「いい声」には大雑把に二種類あって、本人が朗読するとき自分の声に重きをおいて、つまり意識しているか、していないかで、意味が違ってきます。本人が意識し、自分のいい声をアピールしている時は、「声」は伝わらなくてもいい雑情報になります。

じつは、朗読にはきれいな声はまったく必要ないのです。

さきほどの言い方をかえると、「私の声はきれいな声です」ということをちょっとでも意識すると、朗読がつまらなくなってくる場合があります。

自然な声。自意識しない声がいいのです。「ダミ声」で自然に話すことのかもしだす存在感は、その人だけに与えられたものになります。

朗読の場合、そんな雑情報は極力排除して、作品の内容に集中して、その作品を自分の体をとおして、声に出していくのです。

◉高い声、早口

「高い声で、早口でしゃべる」方がおられます。なかなか人に伝わりづらいという自己評価をしておられます。

高い声はシャープで明晰な印象を与え、低い声よりはっきり聞こえます。低音よりも高音のほうが一般的によく聞こえます（高い周波数は高齢になると聞こえにくくなりますが、それはまた別）。

また早口で伝わってくる一連の内容は、相手に入り込む隙を与えず、指揮命令系統としてはスムーズにいく、伝達するのにいい手段です。

一方、朗読は別です。

どちらかというと、低いゆっくりした声を使って、作品をわかりやすく人に伝えようという意識を働かせることが肝心です。

「高い声」の人が無理に低くする必要はありません。高い声がその人の自然であるなら、そこを中心に声の幅があるでしょう。自分の持てる音程幅の使い分けによって、微妙な人物の違いをあらわせます。

◉ゆっくり話すことについて

基本的に頭の回転が速い人は早口になりがちで、しゃべりたいことが次々にあふれ出て、時間内に思っていることを伝えたいと、早口になってしまいます。一対一の普段の会話ですと、相手が早口でもあまり支障ありません。発音が飛んだり、意味がわからなかったりすれば、聞き返すことができます。むずかしいのは一対多数で、たとえば朗読のように一方的に伝える場合です。

朗読は他人の文章を読むわけですから、胸のうちにしゃべりたい動機があるわけではありません。よほど全部暗記して、あたかも始めからその考えが自分の胸の内に存在するかのように、口からほとばしり出るのであれば別ですが。

朗読は、自分の考えを相手に理解してもらうしゃべるメカニズムとは別で、他人の書いたもの、考えを、声に変換することから始まる作業ですから、普段のおしゃべりや告白とは別物です。

でも、それをあたかも自分の心の中に湧いてきたおしゃべりのように、普段のその勢いあるしゃべり方に近づけていく。それが「伝わる朗読」ですから、こんなにむずかしいことはないといえなくもない。

若い人ほど早口でしゃべる日常を送っています。高校生に朗読を教えるときは十人が十人、最初に言うことは「もっとゆっくり」です。

◉滑舌の練習はしない

「あえいうえおあお」など、なめらかに発声する滑舌(かつぜつ)の練習はやりません。

滑舌は、若いときは心配には及びません。しゃべるという行為は誰にも十分に備わっている資質です。もちろん差はあります。しかし、そんな差はなんでもない。それよりも、内容の意味を自分なりによく理解することのほうがはるかに重要です。

伝えるためには滑舌の訓練が必要だと考えるよりも、内容を伝えることに集中すれば、おのずと滑舌はよくなっていくし、そのほうが近道だと考えます。

滑舌が悪いとおそれはじめるのは、老人になってからで間に合います。筋肉や粘膜、すべての筋力の衰えから滑舌が悪くなることは、たしかにあります。衰えを予防する、あるいは頬の筋肉などを鍛える意味で、「あえいうえおあお」も取り入れると、発音発声の老化防止に役立つと思われます。

◉繰り返し実演する

いきなり声に出して読むと誰もがあがって、噛んだり、とちったり、読みまちがえたり、しどろもどろになります。誰でもです。

しかし、三回、四回と、同じところを読んでいくと、意味がわかってくる。すらすら読めます。そしてなぜ、よく読めるようになったのかを自分で考える。

レッスンといってもとても時間がかかります。しかしそれが大切なのです。理論ばかりでは決して上達しません。教えるほうはレクチャーばかりしているほうが、じつはやりやすいのです。しかしそれではちっとも相手が上手になりません。

一人ひとりに実演してもらい、それをどう修正するとよく内容が伝わる朗読になるかを、丁寧に根気よく教えていく。歌のレッスンで、ひとつの音の高低を繰り返し体にたたき込む方法をときどき見かけますが、朗読も同じと思ってください。

古文などとりあげるとよく分かります。

最初は意味がわからない。しかし五回も同じところを読むと、何を言っているのかわかってくる。不思議なものです。古語が苦にならなくなります。

言葉というものはそんなもので、音を唱えているうちに、子どものころから無意識に慣れ親しんできた日本語の巨大なプールのようなものの底から、言葉の玉が浮き上がってきます。それが理解できる言葉の花となって、ぽつぽつと意識の水面に開いてくるのです。

◉よく伝わる言葉は普段のしゃべり言葉

プロの朗読は格好よく聞こえます。

それを聞くと、私も一回目は「なんと素敵な読み方なのだろう」と幻惑されっぱなしになってしまいます。とても上手に聞こえるのです。私のようにコーチとして慣れた耳をもっていてもそうです。

しかし二回目を聞く段になると、一回目とは打って変わって、なぜ普通のしゃべり方のように素直に心に届いてこないのか、なぜいかにも文字面を読んでいるだけのように感じるのか、とても気になってきます。

一つひとつの発せられる言葉のつながりがばらばらで、仲良く手をつないでいないのがわかってくるのです。

プロの人はよく聞こえる音の使い方を経験上心得ていますから、逆にそれが邪魔になることがあるます。このごろ自動音声での案内を聞くことがしばしばありますが、内容は確かに伝わります。しかしそこに奥行きを感じさせるものがあるかというと、よく聞いてみると、どこか不自然で空疎です。つまり心の中に話したい欲求があって、それを伝えたいために言葉にして外にだしている、というのではないからです。

一番よく伝わる言葉は普段のしゃべり言葉です。胸のうちにしゃべりたい話題がしっかりあるから、言葉が出てくるのです。

◉何回も声に出して読む

しかし、朗読ということは、文字を見ながら声にすることになります。胸のうちに言いたいことが住んでいるのではなく、胸のうちはからっぽ。ただ単に目の前の文字を音に変換する作業になります。

このギャップをなんとか埋めたいですね。胸のうちにやどる気持ちをしゃべるように伝えたいのです。そうでなければ作品自体がリアルに相手に届きません。そこが朗読のむずかしいところです。

たくさん声に出して、何回も何回も声に出して、どうすれば胸のうちを吐露するように聴こえるか、そのコツを学んでいく、ほんとに牛歩に似た作業です。

でも必ずコツはわかるときがきて——だって誰もが普段日本語をしゃべっている練達の士なのですから——、とてもわかりやすい読み方になります。それが朗読の達成感でしょうか。

◉録音して聴いてみること

繰り返し声を出して朗読する中で、実践してほしいことは、録音して聴いてみること。

一つの文章を読んで、こちらが納得のいくまで何度も読んでもらいます。「次はこう読んで」と五～六回繰り返す。それをあとで自分で聴いてみて、自分がいちばん「かっこいい」と感じる読み方を採択していくやりかたです。

客観的に聴いてみて、「おー、この読み方は、いままで一番自分がかっこよく聞こえる」というのを積み重ねていくのです。何事も、客観的な自分の耳を信用してください。

◉読んで躓く、その先へ

繰り返し、同じ文章を声に出して読む練習していると、それがまるで昔から自分のなかに備わっている言い回しのように身についてきます。作家の文章が自分のものになってきます。

一人の作家の全体像を自分の身内に感じることは無理でも、一部でも理解できるようになる嬉しさ。それは、頭の中で理論的に作家を理解するのとだいぶ違います。

たとえば私の体験ですと、宮沢賢治の文章を読んでいると、はじめはちょっと躓（つまず）くようになることが、けっこうあるのです。

自分の朗読のリズムと合わない。そこを何回も何回も読んでいると、躓かなくなる。賢治のリズムが身内に入って定着してくれる。

さらに何回も躓きそうなところは特に念入りに練習していると、躓かないでいられるコツがわかってくる。こうなればもうしめたもので、賢治の他の童話や詩をはじめて読んでも躓かないで、かえって心地よくその部分をしゃべっている自分を発見します。

「ちょっと躓く」というのはリズム感、空気感、考え方の謎に迫る重要な突起のようなもので、理論ではなく体感として賢治の世界をひとつ理解することになるのです。東北の土地、空気、日の光などすべてが、言葉のリズムのなかにかくされています。

それは「自分でわかっていない自分」でもありますし、「もし賢治と同じ時代、風土に生まれていたら、たやすく身につけていたであろう自分」でもあるのです。つまり自分の無限の可能性を示唆しているのです。

◉「間」で長さを調節する

早口の人には朗読するとき、「ゆっくり話して」と言います。でもどうすればゆっくりになるのか、なかなか理解できないようです。

発音の一音一音を長くすると、ゆっくりにはなりますが、とても不自然です。

コツのひとつは、「間（ま）」で長さを調節すること。「間」とは無音になるところ。読点「、」とか句点「。」とかでは、休むでしょう。無音になるその場所。

日本語は母音を多く使う言語です。あいうえおの音の一つひとつを均等に冗漫に伸ばしていけば、のんびりした読み方になって、時間は延びます。しかし、だらりと長くなります。なにかを伝えたいと思うとき、一気に早口で言っても、なかなか伝わらない。「間」をとることによって、聴き手が理解する時間的余裕を与えます。

うんとポーズ（休止）をおいて、聴いたことを咀嚼する時間を与えてほしいものです。

◉「間」の取り方

「間」の長さはどのくらいか――いくら長くても大丈夫。特に放送ですと「間」を怖がる場合が多いですが、あんがい長めにとっても自然に聞こえます。

ナマで聞かせる朗読の場合は長めに間をとることで、早口でもゆっくり感を出すことができます。

「間」の取り方で、いかようにでも時間的な伸縮をさせることができる。そのことによってニュアンスを時間の流れ、速度、場面の切り替えなどとして表現していく、ということです。

朗読の練習で「間」の取り方を思い切っていろいろやってみることは、一番やりやすい自己改革かもしれません。

私もアナウンサー出身なので、「間」の取り方は誰よりも下手です。ラジオの番組では十五秒間無音になると、つまり「間」があくと放送事故になります。始末書を書かなければなりません。そこで、「間」はなるべく空けないようになります。日本語には「間」が大切だということをわかっていながら、その美学を追求することを放送では避けてしまいます。日本語の「間」に存在する深い意味をないがしろにする作業を行っています。とっても反省しています。

◉「間」は母音を伸ばすこと?

母音をのばすのではありません。「間」は音と音のあいだにある無音のすきまです。

「そのとき私は何をしていたのか、覚えていない」

と言うとします。

ここで普通に「間」を作るとしたら「何をしていたのか」のあと、読点「、」を無音として「間」をつくります。

「か」を伸ばしてみるとどうなりますか。「かー」と伸ばしてみる。冗漫になりますね。この「か」のように次に接続していく、それ自体は意味をもっていない言葉は、軽く短く柔らかく発音してちょうどいいのです。助詞もそうです。

また「私は」の「は」を「はー」と母音を伸ばすと冗漫になります。「あーーー」という音もそうですが母音は伸ばしやすい。いくらでも伸ばすことができます。そこは子音と決定的に違う特徴です。

しかし全く母音を伸ばすことをしないかというと、そうではなく、言葉はその場その場の心の動きに則しているので、長く伸ばすことだってあります。「そのとき私は何をしていたのかーーーー、覚えていない」と言うとき、この伸ばしている瞬間、あなたなら何を考えていますか。

そのときの自分の行動を、一生懸命、思い出そうとしている、と考えるのが順当です。伸ばすだけ伸ばして、思い出せなかったら「覚えていない」と自然に口から出てくるでしょう。

言葉はすべてそのときの心の動きに則しているので、例外や強調やそのほかありとあらゆる想定が考えられるのです。でも「覚えていない」という結論を言いたいのであれば、ここはほんとうに「か」はさらりと、小さく軽く、通常の半分ぐらいの力の入れようで発音するときれいです。

コラム 「読み聞かせ」について

いわゆる絵本を読んで聞かせる「読み聞かせ」は、流儀のようなものがあるとする考え方があります。

たとえば、読み聞かせの初期のころには、子どもたちが絵本の中に集中できるように、絵本の持ち方からページの捲(めく)り方などを子どもたちに顔を向けて表情豊かに伝えることは集中力を削いでしまうので、なるべく子どもに顔をむけないとかをよく言われたものです。

しかしそれは、あくまで絵本に子どもの集中力をむけさせることを目的としたやり方の流布で、読み手の豊かな表現を削ぐ方向に矢印が向いているのが残念な気がしていました。

子どもの人数によっては、あるいは話者の力量によっては、たしかに子どもが集中しないことがあり、騒然としてちっとも聞こえないということも起こります。そんなときには、「ハイ、気をつけ！」と号令をかけ、ともかく「集中してもらう」

ことを一義に、コントロールすることだって、あると思います（好きではないけど）。
しかし大方は絵本の読み聞かせに関しては、話者の自由を尊重することも大切なことだと思います。

絵本作家・のぶみさんの読み聞かせは、自分の絵本の絵を子どもたちに見せながら、飛んだり跳ねたり大声で叫んでみたり、自由自在に自分のもてるものを最大限に使って面白がって羽ばたかせて、子どもと一緒に遊んでいるようです。

上半身を動かさずに絵本を揺れないように持って、肩を動かさないように腕だけ動かしてページを捲って、などというルールを決めているやりかたも否定しません。それで得る、語り手の満足感もあります。また、それが子どもにとっては、心に残る物語になるということもあるでしょう。

しかし、お母さんが子どもに絵本を読んで聞かせるのが、読み聞かせの出発点だと考えてみてください。自由な柔らかい呼吸がとても大切であることはわかります。

「子どもの集中力を削がないように」という一点だけに集中してしまうと、そこだけが大切なことだと皆が思い込んでしまう。それにより素敵なことが消えていっているかもしれません。そんな「大勢の声」に流されないように、自分の耳を信じることです。

「読み聞かせ」の場合に大切なことは、話者の人格も含めてお話の世界を豊かに伝えることではないでしょうか。どうすれば豊かになるかは、ひとそれぞれです。表情が豊かになりすぎて、独りよがりになるのも考えものですが。

[Part 2]

自分の声を見つけること

◉国によって異なるキャスターの声の高さ

日本は女性、とくに若い女性の声が稀に見る高音域になっている国です。可愛らしい高い声です。小さい時から、この「かわいい声」を使ったほうが世渡りがラクだと女の子は学んでいく、そういう文化の国です。

NHKのBS放送で国際ニュースを見ていると、それが如実にわかります。ヨーロッパ、アメリカなど女性の地位が男性と同等だと感じられる国々は――すくなくとも表向きは――、男性キャスターとほぼ同じ低い音程です。東南アジア、アラブ諸国などは、国によって女性の地位が違いますので、その国の状況に合わせて女性キャスターの声を聴くのも、興味深いですね。

しかし同じ文化でも、一人の女性が年を重ね社会的地位や仕事、あるいは家庭内での地位を獲得していくと、声は低くなっていきます。いつまでもコケティッシュであろうとは女性自身も思いません。もちろん例外はたくさんあります。個々の人の意識の問題がそこは色濃く反映します。

◉その人なりの声の幅

しかし、このごろ、私は別のことに気づきました。
声の高さについての聞こえ方は、絶対音感のように標準があるわけではないということ。

一般的にはあの人は声が高い、あの人は低い、とあたかも普遍的基準があるような言い方をします。たしかに人には音域の幅があります。放送局に入ったばかりのころ、驚いたことがありました。UV計という音の高さを計る機械があり、人の声の高さを周波数、数値で表わすことができます。しかし朗読の場合は、その人なりの声の幅の高いところを使っていると高く聞こえ、低いところを使っていると思った以上に低く聞こえます。

数値としては声が生まれつき高い声の領域の人でも、そのひとの声の幅の中で低い音域で話していると、相対的にとても低く聞こえる。ですので、低い声を表現するのに向いていないということはないのです。文芸作品などを読む中で、「私の声は高いから、この作品には向かない」ということはありません。どんな作品でもチャレンジできます。

◉自分なりの自然の声

電話がかかってきて、誰だかわからない、とします。とりあえず電話に出て、応対するために出るときの声、そんな声を想像してください。

女性は特に、身構えるケースが多いかもしれません。よそ行きの、高めの、作った、本心とは違う社交辞令的声の出し方でまず応対します。

相手が誰だかわかって安心すると、「なあんだ」ということになり、むこうからも「別人のようだった」と言われる。朗読するばあいも、なにか特別の声を作って読むものだと思っている人は、まだ案外多いのです。

声は、一人ひとり相対的に自在に使って、その人なりの表現で、その人なりの声の幅で勝負して、充分朗読世界を聞きやすく相手に届けることができると、このごろ確信しています。

朗読に関して、自分の声の高さをハンデと思わないで、個性だと思ってください。それをどう使うかは自分次第。声の高さはこだわらなくてよい。むしろ、それが自分の声として自然であるかどうかが問題だと言えると思います。

◉声は年齢によって変化する

声は年齢によって、どんどん変化します。またその場の空気によって、無意識に変化します。また、よく練習すれば、案外、簡単に普段自分の使っていない音域まで幅を広げることができます。声というのは、自分の身のうちに隠れている鉱脈だと思ってください。

若い人たちに朗読の指導をするのは、とても面白い体験です。職場では高音域のアニメの女主人公のような言葉使いをしている女性が、朗読をしてもらうと、まったく声が違って、低音の別人の声になることがあります。アニメの主人公が突然、落ち着いた深遠な読みをきかせてくれたりすると、教えるほうは面食らってしまいます。そんなときは、その人の心理をゆっくり解釈していきます。つまり、インタビューするんです。声の使い分けをしている心理をいっしょになって考えていくのは、朗読を教える醍醐味の一つです。なぜ、朗読のとき、普段とは違う声を使いたいのか。成長段階でそれが美しい、すばらしいと思った何かがあるはずで、それに向かっての日々の努力のたまものが、今の自分から出てきているのですから。

もう一つは自分自身のなかに、ほんとうはとても魅力的な声の領域があるはずなのに、成長する過程で声の開拓をやめてしまっている。何か自分の声は魅力がないと思ったきっかけがあって、それは何か、探っていってもう一度成長段階からの声の成長経路を分析してみる。そんなもつれた糸をほどくような心理分析をしながら、心地よい声をさがしていく。それはとてもステキな声をさがす旅の体験になります。ともかく自分が輝く声を探すことをやってみましょう。せっかく言語をしゃべりながら、されるがままに任せているのはもったいないなと思います。

◉オペラ歌手の地声

声に関してほんとうに驚いた体験をしたことがあります。ＮＨＫの現役アナウンサーを三十七年間、退職するまで勤めましたが、いろいろな方にお話をうかがう機会がありました。そのなかで、オペラのソプラノ歌手、佐藤しのぶさんにお会いして、お話を聞きました。

私が驚いたのは、佐藤しのぶさんの話す声がまったくハスキーボイスで、低い声なのです。歌うときの声と全然違っています。ソプラノ領域の歌声とは異なって、普段の声はまったくの低音。

その後注意して周りの人の声に気をつけていると、普段の声はまったく低音で、ドラえもんのような声――つまり大山のぶよさんのような――の方がよくいらっしゃることがわかりました。

◉「地声」は自然な声

朗読指導の最初に、私はとにかく「地声」で読んでください、自分の「地声」を見つけてくださいといいます。相手が緊張しなくていい友人や家族で、緊張しなくて自然でいられる場所で、自分はどんな声でしゃべっているのかと、問いかけます。

「地声」とは、もともとは、ドレミファソラのラの音。音楽家の人たちが言っているAの音。「おぎゃあ」と生まれたときの赤ん坊の声で、声帯の長さはまだ発達していなくて、同じ音程になるからだといいます。

つまり「地声」は、無防備な何も考えていない、無心の状態で声を出す、その声です。しかし、人間は成長していく間にいろいろなことに遭遇し、その状況を乗り越えるために声に鎧を着せていきます。「地声」というのは、その鎧をとっぱらった、リラックスした時の声。なにも飾らない自然な「自分の声」です。

では、自然な「自分の声」とは、どんな時に出てくるのでしょうか。

私たちは心の中に何か伝えようとするテーマがあると、言葉にする。まず心の中にしゃべりたい内容が浮かぶ。そのとき、相手がリラックスできる人であって、その人に説明しよう、あるいは理解してもらいたいと思えば思うほど、しゃべる内容に意識を集中し、声はどんな声にしようなどとはあまり考えない。出たとこ勝負で、無意識に夢中でしゃべるもの。それが、意識しない自然の声。

作った声というのは、たとえば自分をよく見せたいという〝見栄〟が雑情報として声に含まれ、聴き手に瞬時に伝わります。聴き手の聴く能力は非常に高い、自分より高いと思って間違いないのです。

作った声は下心を含んでいるぶん、どこかうるさく、長時間聴いているのがつらくなります。「地声」だと、何時間聴いていても疲れません

◉声を探す旅

朗読を学ぶ第一歩は、自分の声の使い方を意識したり分析したりするところから始まります。読む場面になって、自分でよく自分の声を聞きながら、声をコン

トロールしている場合もあるでしょうし、自覚なく無意識に任せて読んでいるときもあると思います。

自分の声を見つける作業には、繊細な感受性が必要です。感受性があるかないかは、持って生まれたものもあるでしょうが、その人の成育歴とかかわりがあり、また教養のあるなしなどとも、関係があります。「教養」といってもいわゆるお勉強ができるかできないかではなく、人生について深く多面的に考える力があるかないかといってもいいでしょう。

何のために自分の「地声」を探すかというと、「自分が生まれて、ここにいる謎に迫る」というと大げさですが、良い文学作品の偉大な力も借りつつ、人の声はどのような可能性を持っているのか、あるいは声を出す仕組みを探っていくことが、「生きる」意味を知る手がかりになるのではないかと思います。なにしろ「声」は「人」なりなのですから。

声を探す旅は、自己を探すことです。自己を探す旅なんて、お金の使い方やお釣りの勘定をするような普段の社会生活をおくっているときはさして必要ないものです。それに、自分の声を探さなくても、まったく自然体の声で堂々と世を渡っている人もたくさんいますから、そのような人をじっくり観察してみてください。「声」をいろいろな角度から観察することが、感受性を深める一助になりますよ。

◉声でひとの心の在り方がわかる

私がＮＨＫのアナウンサー時代、つまり二〇一〇年に定年退職するまで、「ラジオ文芸館」という朗読番組を担当していました。アナウンサーが作る番組で、若手のアナウンサーの朗読指導を随分おこなったものです。「ラジオ文芸館」を担当し始めたのが一九九三年ごろのこと。そのときからもう何十年もいろいろな人の指導をしていると、発声するひとの心の在り方がだんだん見えてくるから不思議です。

こんなことを言っていながら、私はじつは空気を読むのがとても下手です。日本的な身の安全確保術、「空気を読む」ということができず、失敗ばかりしてきました。

しかし、朗読のコーチをするときだけは別で、ひとりひとりの受講生がいまどういうトラブルで「読む」ことに関して躓いているのか、指導を進めるうちに見えてきます。そこをすくい上げるアドバイスを一言加えるだけで、心理的にその受講生はとても気持ちが軽くなると同時に、どう読めば自分の望む表現ができるかわかる時が来るのです。つまり自分のトラブルが何なのか、自覚すると、乗り越えられる。トラブル解消とステップアップは同時です。言葉の力は不思議です。まさしく言葉は「言霊（ことだま）」で、しゃべる言葉がその人の全身全霊を表わしているといっても過言ではありません。

◉アナウンサーの仕事

ＮＨＫに入ってアナウンサーの部門に配属され、いざ新人研修がはじまった時、驚きました。

発音発声練習はまるでなく、記者やディレクター部門と同じことを繰り返しやることになりました。つまり、番組をつくる基礎を学ぶ。まず四〜五人のグループに別れて取材にでかけます。東京世田谷のNHKの研修所に新人が集められての研修でしたので、外に飛び出すと、だいたい砧公園などが無難な取材場所になります。そこで、たいした事件などはもちろんありませんから、なんとか話題を見つけてストーリーを作り、撮影し編集する。そしてそれを発表する。アナウンサーらしいことといえば、その話題の原稿を書いて、読む。この「読む」というところが、当時のアナウンサーの役割とされるところだったのですが、研修は取材から全部やらされました。それも繰り返し。そこでなにが大切なのかを学びました。

これは五十年以上も前の研修です。当時は、アナウンサーにとって一番重要な仕事は、ニュース原稿を読むことが仕事とされていました。原稿も手書きで、クセのある記者の字などは、瞬時に判別して読まねばならず、直感にたよることも多かった。王道とは別の脇道としかおもえないような能力も必要でした。今とは全く考え方が違います。

いま、放送局では読むだけの能力はAIに任されつつあることは、みなさんも実感としてお持ちだと思います。ある意味でいままでのアナウンサーという職業概念がなくなっていくのかもしれません。それはとっくの昔におこっていたことで、アナウンサーという言葉が残っていたに過ぎません。現在、各放送局では記者とディレクター、アナウンサーの仕事がほとんど同じになっているところが大半です。最初に社会事象への関心、それを番組にしていく視点、取材能力、一本の映像にまとめる力、文章作成作業、そして最後に発表する。つまり読んだりしゃべったりして伝達する力。「読む」ことが大切なのではなく、そこまでの積み重ねが大切なのです。心のなかに、これを伝えたいという「動機」があってはじめて「声」にし「読む」。

◉朗読は書き手の真意を汲んで、伝える

では「朗読する」というのはどうなのか。目の前にある文章を読むことではないのか。AIと同じ作業ではないか、と思う人がいるとしたら、それは間違いです。朗読の一番むずかしいところは、自分の書いたものではないけれど、こころからその文章を伝えたい「動機」がなければ、聴き手に本質が伝わっていかない

ということなのです。

もちろん、ただAIのように読んでも日本語は通じるのです。日本語だけではありません。どの言語だってただ読む、AIのように、あるいはかつて棒読みと言われたような読み方でも、ちゃんと中身は通じます。それが言語のすごいところ。

ただ、いまここで考えている「朗読」は、言語のごく狭い一分野。演劇的効果を伴う、臨場感を伴う「朗読」はどうすればできるかということ。

つまり文章を書いた人の心の動き、真意を汲んで、それを聴き手の無意識の領域に届くように伝えるには、自分もその書き手の心の動きをよく熟知している必要があるということ。それは理論を理解することとはまた違うのです。五感をフル活動させて感じる世界といってもいいかもしれません。そこに書かれた世界観を聴き手と一緒に感じながら目の前に出現させる作業と言ってもいい。それには、ちょっとした心構えとコツがあれば大丈夫なのです。

[Part 3]

私の練習法

1　繰り返し練習

◉最初のイメージを大切に、ひたすら練習

朗読の練習は、舞台や放送で読む実時間の十倍以上かかります。練習すればするほど、内容のこまかいニュアンスや、その行間に隠れた意味などが、われもわれもと浮き上がってくるのだから、きりがないのです。

文章に含まれるニュアンスは、初めにざっと読んだだけではスルーしてしまうことも多いのですが、繰り返し読んでいると、じつは表に出たがっている言葉がたくさん隠れているのだと、気づきます。そこで時間のあるかぎり、声に出して練習する。

あまりに時間がかかってうんざりするときもあります。

「あーあ、なんでこんなに手こずるのだろう。私ってなんにもわかってないんじゃないのかなあ」

しかしいつまで嘆いていてもおんなじ。そんな暇があったらひたすら読む練習。そうすると、あるとき突然、その世界が目の前に開けてくる。魔法ではないかと目をこすりたくなるくらい、ほんとうに情景がまざまざと生きて存在してきます。言葉とは、そんな力をもっているのです。

チューインガムをかみすぎると、味がしなくなって、気持ちが悪くなるときがあるでしょう。あれに似ています。そのまま練習しつづけていると、朗読を嫌いになるかもしれないと自分でも可笑しくなって、さすがに休憩を取ります。嫌いになる前に休憩、ちょっと時間をおく必要があります。休憩するとチューインガムが元の美味しさにもどっています。すごく新鮮! はい、またスタートです。

文章の魅力は、最初に読んだ時の鮮烈なイメージを大事にしつつ、言葉たちが自分を認めてほしくて気づいてほしくて、行間という地底からワサワサあがってくる。そこを、最初に読んだときの、驚きにみちた鮮烈な感覚を忘れないで、覚えておいておく。そして、あとからわきあがってきた、気づきと一緒になることが大切なのです。最初の印象と、繰り返しによる無意識の領域の気づきの合体ですね。

◉下読みを繰り返す

練習では、何回か読むといっても、一回ごとに違った体験をしながら、下読みを繰り返します。

最初の下読みは、単純労働です。読めない漢字があると、そこで立ち止まる。調べる。アクセントがわからなくなれば調べる。この文章はどこにかかるのか、いくつもの文章がかかっている単語はどれなのか、なんて文法的なことで躓きながら、確認しながらああでもない、こうでもないと調べる。一つひとつ疑問をしらみ潰しに解決していく単純作業。

でもパソコンとかスマホとか、いまは超のつく便利なものがあるので、昔ほど苦労しません。たくさん答えが出てくるのがネットですから、どれが自分の探し求めていたものか、その判断はしっかり自分がする。要は、自分の経験と知識と直感が問われます。しかし、どうしてもわからない言葉などは『広辞苑』とかの辞書類にたよります。それでも間違うのです。でも、この作業は楽しい。大きな山を目の前にして、早く躓かないで読みたいなあと渇望が湧いてきます。

二回目は、すらすら読むことの練習です。どこが読みにくいかのチェック。同時に、その作品の独特の言い回しなど、いままで自分が百万遍も使ってきたフレーズのように軽く言えるよう、何回もその言葉、場面を繰り返します。

三回目、登場人物の心の動きに焦点をあてます。どういう心理なのかを感じ取り、言葉の裏に潜む、文字に書かれていない心の動きを嗅ぎ取る力が必要となります。つまり、その場面を思い描きながら朗読していくと、登場人物の心理に自分が入り込んでいくことができる時が来る。その体験が大切です。

そのなかで、大切なことを発見することがあります。たとえば、読点の打つ場所が違うのではないか、と引っかかる時があります。その時は立ち止まって、自分の言語感覚を振り返って、自分の感覚を頼りにどれを選択するか決めます。いいのかなあ、この読点を無視して読んで、間違いではないのかなあ、と悩みます。

もう、そうなると賭けみたいなものですが、自分を信じて前へ進みます。

そして四回目は、もっと大きく広く、その作品世界全体の空気感に感覚を集中させる。光や音や空気の流れ、匂い、といった場面全体の生きた感覚を朗読に取り込んでいく。

三回目、四回目、だいたいそのあたりで発表のタイムリミットが来るのが現実で、いくらでも練習していたいのですが、本番が来てしまう。

感覚を研ぎ澄まして、どこに重点を置いて練習するかは、そのときどき。三回目と四回目は順番が違うこともあります。要は作家の書いた文章を、自分の感覚をフル稼働して四次元的に肉付けしていくのが朗読の練習の仕方です。頭の中に仮想現実世界を立ち上げていく作業といえます。

練習 梶井基次郎「檸檬」

たとえばここでは、梶井基次郎作「檸檬（れもん）」をとりあげてみましょう。素読みで二〇分ほどかかる。二〇分というのは、朗読としては一番聞きやすい長さです。朗読の場合、他でも言及しましたが一時間を超すと聴く側の集中力が落ちてきます。一時間以内に収めるのが、まず無難です。

「檸檬」という作品は朗読者にとって魅力的です。多くの朗読者たちが読んでみたくなるのは、短編小説のなかでも短いほうですが、読んでいく作業がとても集中力を要求され、片時も心理的に休む暇を与えてくれないから。ケーキに例えればシフォンケーキのように軽くフワフワ、密度がすかすかしているものではなく、ドイツのクリスマスケーキ、シュトーレンというのがありますね。重くてミッシリ詰まっている感じがする。ケーキに例えるのはこの小説には失礼かもしれませんが、重さが違うのです。

はじめから強迫観念のような猶予のならない心理が積み重なっていく。重量感がありすぎて集中力を持続するのが大変ですが、それだけに読み終わった達成感は格別です。だれしもむずかしいことをやってみたいでしょう。

では、初めて声に出してみましょう。その冒頭のところの雰囲気の暗いこと。

〈朗読台本〉

えたいの知れない不吉な塊が私の心を始終圧（おさ）えつけていた。焦躁（しょうそう）と言おうか、嫌悪と言おうか——酒をのんだあとに宿酔があるように、酒を毎日飲んでいると宿酔に相当した時期がやってくる。それが来たのだ。

これだけで、すごく心理的に深刻なものを描いた小説だな、ぐらいは、わかる。緊張で身がキュッとひきしまります。

この緊張がちっとも緩まないまま、次々に大波小波がやってきて、読んでいる朗読者も、どんどん巻き込まれていくのですが、読む上でのいくつか重要な注目点があります。まずこの日本語の文体のリズムをとらえることです。

活字が書いてあって、点や丸があって、小学校の国語の時間に教えられたとおり、点で一泊休んで、丸で二泊休んで、などと真面目になぞっていると、読み手はリズムをつかまえられないまま、この世界観にたどりつけず置いてきぼりをくってしまいます。

たとえば、「宿酔に相当した時期がやって来る。それが来たのだ。」とありますが、「やって来る。それが来たのだ。」の句点のあとは、教科書どおりに読むと二拍あけることになっていますが、ほとんど空けません。ほんの少しだけ、わからないぐらい少しだけ空ける。

ということを、私たちは普段の会話のなかではおこなっているので、理解できる人も多いと思います。注意深く見ていくと、ほとんどその連続で、リズミカルに続いていくのです。

この文章を続けます。

〈朗読台本〉

これはちょっといけなかった。結果した肺尖（はいせん）カタルや神経衰弱がいけないのではない。また背を焼くような借金などがいけないのではない。いけないのはその不吉な塊だ。

ここの「いけないのではない。いけないのは」もそうですね。丸があっても二拍あけるのではなく、どのくらい空けるかは、自分の普段の暮らしの中の言葉づかいを信じて、空ける。作家独特の文体のリズムに乗ることが大切です。そうすれば読んでいて気持ちがいいはず……なのです。

作者は京都の町を歩いている。ですからついでに、歩くときの足の運びも、心臓の鼓動も、「拍」といえるものは、自分の心の深いところにつながって、躍動していると考える。そのくらいの意識で朗読していくのです。
そう思って次に続く文章を読んでみますね。

〈朗読台本〉

何故(なぜ)だかその頃私は見すぼらしくて美しいものに強くひきつけられたのを覚えている。風景にしても壊(こわ)れかかった街だとか、その街にしても他所他所(よそよそ)しい表通りよりもどこか親しみのある、汚い洗濯物が干してあったりがらくたが転してあったりむさくるしい部屋が覗(のぞ)いていたりする裏通りが好きであった。雨や風が蝕(むしば)んでやがて土に帰ってしまう、と言ったような趣のある街で、土塀(どべい)が崩れていたり家並が傾きかかっていたり——勢いのいいのは植物だけで時とすると吃驚(びっくり)させるような向日葵(ひまわり)があったりカンナが咲いていたりする。

時どき私はそんな路を歩きながら、ふと、そこが京都ではなくて京都から何百里も離れた仙台とか長崎とか——そのような市(し)へ今自分が来ているのだ——

という錯覚を起こそうと努める。私は、できることなら京都から逃げ出して誰一人知らないような市へ行ってしまいたかった。第一に安静。がらんとした旅館の一室。清浄な蒲団。匂いのいい蚊帳と糊のよくきいた浴衣。そこで一月ほど何も思わず横になりたい。希わくはここがいつの間にかその市になっているのだったら。――錯覚がようやく成功しはじめると私はそれからそれへ想像の絵具を塗りつけてゆく。なんのことはない、私の錯覚と壊れかかった街との二重写しである。そして私はその中に現実の私自身を見失うのを楽しんだ。

　私はまたあの花火というやつが好きになった。花火そのものは第二段として、あの安っぽい絵具で赤や紫や黄や青や、さまざまの縞模様を持った花火の束、中山寺の星下り、花合戦、枯れすすき。それから鼠花火というのは一つずつ輪になっていて箱に詰めてある。そんなものが変に私の心を唆った。

　リズムに注意して読んでいると、なるほどと読めるように思われるでしょう。リズム感で先へ先へと引っ張られてゆくので、このまま最後までいってしまいそうで、楽しくなる。しかしもう一つの注意点。リズム感だけではない、朗読のち

梶井基次郎「檸檬」
QRコードで朗読を聴くことができます。

ょっとしたコツをのみこんでいると、ラクラクこの作者の歩調に合わせて歩いていける。

それが長い文章を構造的にみる目です。初めて長い文章を目で追う人は、いざ読む段になると、どの音も同じ力で、同じ高さで、同じ長さで読もうとしがちなので、かつて「朗読」と言われたかしこまった音声表現のお手本のようになる。いまはもうその「朗読」というおまじないからようやく抜け出て、自然体の普段の言葉づかいから学ぶのだという考えはだんだん普及してきましたね。

「檸檬」の中盤に差しかかると、長い文章が待ち構えています。そんなとき、構造をしっかり自分で分析できると、読むのがラクですよ。

次の文章は、歩いている主人公はとても貧乏で、お金がないけれども、なにか買い物をしたいのですね。

〈朗読台本〉

生活がまだ蝕まれていなかった以前私の好きであった所は、たとえば丸善（まるぜん）であった。赤や黄のオードコロンやオードキニン。洒落（しゃれ）た切子細工や典雅なロココ趣味の浮模様(うきもよう)を持った琥珀色や翡翠色の香水瓶。煙管(きせる)、小刀、石鹸、煙草。私はそんなものを見るのに小一時間も費すことがあった。そして結局一等いい鉛筆を一本買うくらいの贅沢をするのだった。

ほんとうに貧乏。主人公は住まいも友達の下宿を転々としている。だけどその友達の下宿も居られなくなり、さまよい、出なければならないはめになる。

〈朗読台本〉
何かが私を追いたてる。そして街から街へ、先に言ったような裏通りを歩いたり、駄菓子屋の前で立ち留まったり、乾物屋の乾蝦(ほしえび)や棒鱈(ぼうだら)や湯葉(ゆば)を眺めたり、とうとう私は二条の方へ寺町を下(さが)り、そこの果物屋で足を留(と)めた。

長い文章の「構造」を考える前に、ここは朗読に特有のちょっとしたコツについて。
朗読者は、歩いている主人公の目になって、頭の中であたかもその駄菓子屋を見ているように行き過ぎます。そして乾物屋ではちょっと立ちどまって棒鱈や湯葉を目にしているように脳に描いて、さらに歩いて果物屋を見ます……。

朗読者は、このように頭の中に情景を展開させます。そうすると、あたかも自分がそこにいるかのように言葉が発せられ、聞いている人にその情景がリアルに伝わる。

長い文章を読むときのコツは、そのうちのどの単語を一番強調して、聞いている人に印象深く届けるかということです。二番目に伝えるべき単語、三番目はと、重要な単語探しをします。重要度の順位がわかり、きちんと音声的に発声できると、これが一番ちゃんと伝わる。あとのいろいろな形容詞だとか副詞だとかもろもろ、軽く読んでも大丈夫になってきます。むしろ軽く読んだほうがよくわかるのです。例えば、

〈朗読台本〉

果物はかなり勾配の急な台の上に並べてあって、その台というのも古びた黒い漆塗り（うるしぬ）の板だったように見える。何か華やかな美しい音楽の快速調（アッレグロ）の流れが、

見る人を石に化したというゴルゴンの鬼面——的なものを差しつけられて、あんな色彩やあんなヴォリウムに凝り固まったというふうに果物は並んでいる。

重要な伝えたい芯になる言葉は、言葉をどんどん削ってみるとわかってきます。作者がいいたいのは「果物」がすごい色彩で迫ってくるということなのですね。果物はアレグロの流れが凝り固まったみたいだと。

「果物」の前の文章を一つの流れみたいにあるテンポで一気にしゃべって「果物」までたどりつくことが肝心です。一音一音をぜんぶ同じような強さで、トウモロコシの粒が並んでいるように、同列にはっきり発音したのでは、何を伝えたいのかわからなくなってしまいます。

そしてまた作者は果物屋の周囲にある暗い家に目を留めます。この文章もやっかいです。

〈朗読台本〉

しかしその家が暗くなかったら、あんなにも私を誘惑するには至らなかったと思う。もう一つはその家の打ち出した廂なのだが、その廂が眼深に冠った帽子の廂のように――

読む時は、一つ一つの文章を忠実に発音発声しようと努力しますが、そのときどき精一杯に努力すると、どれが一番強調されるべきなのかわからなくなってしまうということになります。単語としては、何を一番聞こえるように伝えるか、なのですね。

「帽子の廂を下げているようなので廂の上は真暗、廂の下は電燈の光があふれて美しい。往来に立って果物を眺めたり、あるいは二階の硝子窓から眺めた場合も、廂の下は明るくすばらしい」ぐらいのことを伝えるつもりで読むのです。

それから作者は檸檬をひとつ買って、町なかを檸檬を握っていろいろなことを考えながらうろつくのです。文章はどんどん短くなって緊迫感が増してきます。最後まで一気に読むしかなく、少しも気をゆるめることができません。

聴き手も、その緊迫感でイメージを鮮明に伝えられ、頭の中にその京都の町を描きながら、息もつかずに失踪する感じを受け取ります。そこが「檸檬」の朗読愛好者を生む要因かな、と思います。

＊　＊　＊

声にだして、四回目を読んだところで、突然世界が変わって、立体的に町が立ち上がってきました。

主人公が町を徘徊しているその足音が聞こえだしたら、やっと朗読表現の入口に差しかかったと考えてまちがいないでしょう。四回目を越えての練習は、回数が一回一回増すごとに、その世界の色彩が濃くなっていくのです。

神経衰弱にかかった作者の心を占めるぷよぷよした空気。「ぷよぷよした」というのは変ですか？　でも空気が抵抗性を含んでいて粘っこい感じがしませんか。だけど透明感はあるのですね。作者をくるんで押し込めている、透明な風船のような塊が体感として感じられるようになって、朗読は初めて顔を見せてきます。

四回読むと姿が立ち上がってくると言いました。それまでの過程を振り返りますと、まず文章の構造と格闘してください。

一回目は、ルビをふったり、読点を減らしたり増やしたり。

ひらがなばかり続いていると、どれが名詞なのかわからなくなるでしょうから、助詞つまり「てにをは」をマルで囲ったり。また、名詞がどれなのか、助詞や副詞、形容詞、名詞ばかりつづいていて、瞬間的に脳の活動を立ち止まらせるものには、自分なりのサインを書き込んで行くのも手です。

一連の文章がどこまで一括りでつながっているか、よくよく見ること。声に出して読むということは、ひとつの文章の中の単語の重要度など順位を決めていく作業でもあります。そのあたり、自分のクセに従って心地よい声のリズムにばかり頼っていては、文章が伝わらないままになりますので、注意しながら読み進みます。文章の構造を意識して。

二回目はリズム。作家には、文章の流れにたいする特有のクセがあります。この「檸檬」では、それは文章のもつリズムを決めている。

もちろん音楽のリズムのようにはっきりしていないし、しかしはっきりしていないからこそ、その作家の呼吸や体温や匂いのようなものが、そのまま痕跡として残っています。

リズムは時々変化します。変化するからといって、でたらめに変化しているわけでもありません。その作家の人間性の法則のようなものがあって、それを見つけたい。

二回目に読んでいるときは、まだ読み始めて日も浅いし、ちょっと焦り気味で、つかまえよう、感じようと空回りしていることが多い、かもしれません。また、読み手が落ち着いてしまわないように作家が意識・無意識にかかわらず、リズムを変化させていることも多いのです。

余裕という点でいうと三回目はだいぶ、ラクになります。文章と文章、区切りと区切り、単語と助詞、すべてに存在する「間」に神経を集中させていることが多い。

最初は句点「。」と改行の「間」がまず気になります。どのくらいあけたら、その文章の内包する世界を忠実に再現できるか。とてつもなく長い「間」も、必要になってきます。

四回目は、その三回を通して感じ会得したことを集中力をもって、すべてごっちゃにして広い視点で読んでいくと、思わず世界が立ち上がります。正確に言うと、立ち上がる時もありますし、そうでない時もあります。

そして四回目でダメなら、五回目、六回目と、世界をつかまえることができるまで繰り返します。ここで重要なのは、ある意味、遊ぶこと。ガチガチに真面目になっていては全体の空気感、世界観を取り逃がしてしまうことにもなります。自分自身に還ることが必要なので、余裕が必要なのです。

目で読んでいるときは、声に出している時のような苦労はないのです。文字が視覚から直接、言語脳に伝達され、言語としての理解にピタッとあてはまれば、それでOK、幸福なのです。次へ進めます。

しかし音読は違います。耳からも入ってきます。その振動はからだも揺すり、視覚だけでなく五感に直接訴えてきます。そしてなにかを呼び覚ますのです。

赤ん坊で生まれたときに五感でもって感じてきた遠い感覚から、今のいま、感じている歳月全部が積もりに積もって、その人物を形成しています。そこに音読は働きかけてきます。それを逃さないように、細心の注意を払ってつかまえる。ほんのかすかな感覚さえ逃さない。それが朗読の醍醐味といえば言えます。

2 読点「、」について

◉はじめに躓く読点

朗読をはじめる人みんなが躓(つまず)くのが読点です。

かならずそこで一拍休むようにと、小学校のときから授業で教えられるからだと思います。「一拍の時間の長さというのは、無限にあって、それはケースバイケースなのだ」、なんて教えても、それでは授業になりません。きちんと説明しようとすると、無限に時間がかかってしまいます。それこそ職人芸、一拍の長さとはなんぞや、と教えるのに一生かかりそう。

手がかりはあります。朗読するということは、基本が人間の呼吸ですから、一気にしゃべってしまいたい物事ってあるでしょう。一気に伝えたい、というのが大きくいう「一括り（ひとくくり）」でしょうか。楽器が音を奏でる時、一つの情感を一括りに伝える場合を想像してください。

読点はおのずと目で見る文章の区切りとは違ってきます。同じである場合もあるけれども、違う場合もある。しかも厄介なことに、人は一人ひとり微妙に呼吸の仕方が違っていますから、その人なりの呼吸、しゃべり方の自然な流れがあるわけです。それをまず、一つの文章を前にして、そこに打たれている読点のとおりに読んでいくと、生まれてこのかた自分の身につけてきた呼吸や発声、読み方とは別物になって、自分の世界とはまったく別物になってしまうのです。とても読みにくい、自分の本来の素直な語り方、しゃべり方ではない窮屈な借り物の息の継ぎ方になってしまうのです。それでは楽しくありません。自分を投影できないし、自分の考えている世界を表現できないからつまらない。つまらないことはやめたいですよね。

借り物で表現することはやめましょう。最初は自分の地声で、自分に備わっている「間（ま）」の感覚で読んでいくこと。でも、それは大変勇気のいることなんです。

勇気を出して、「教えられたこと」から抜けだして、「自分の内なる声が教えてくれるもの」に従って読んでいくことが大切です。

◉まず自分の自然な語り方で朗読

書かれた文章、小説作品などは、その作家の独特の「呼吸」で読点が打たれています。その「呼吸」は、読まれた時の「呼吸」ではなく、目で書いた時の「呼吸」(読点)ともいえるもので、その作家の文体のひとつを形作っています。

朗読は、その書かれた文章を、読み手が読んでいきます。

それには、もっと自分のしゃべり方、息の継ぎ方、自然な語り方に忠実に、まず朗読してみることが大切で、自分自身の確立を優先させるべきです。作家の書いた文章はいくら貴くても、読み手はまず自分なのですから、自分の世界に文章をなじませるのが、この文章の真髄に迫る方法だと思います。ですから自分はどう生きてどうしゃべってきたかの、自分自身に対する理解が肝心になります。

まず自分ありきで、そのあと、その文章を書いた作家の呼吸はどこにあるのかを探っていく。というより、直感的に理解するときもあるでしょう。そのときは十分に作家を尊敬もし、崇めもし、どのように丁寧にその文章を読んだらいいかを自分なりにつかみ取っていく作業になります。

今まで多くの後輩たちには、「読点は作家の書き言葉の感覚や、書くというリズム感で打っている場合が多いので、用心しながら、まずは自分なら普段この文章はどうしゃべるだろうか、どこで一拍おいて区切るだろうか、考えましょう」と言ってきました。

しかしこれからは、「まず自分のしゃべり方、自分の呼吸を優先、一番大切なのは自分なのだから、それを摑んでから、作家の文章に挑んでいくのが道筋だと思います」という言い方に改めようと考え始めました。

読点にはどうしても縛られてしまう。ほんとうに人は目の前の指示に引きずられる弱いものだということです。そこがわかって、まず指標とするのは自分なのだと気付くことが大切です。

◉読点「、」を取り払う

私が何人かの若い人をコーチして、効果的だった方法がひとつあります。

それは読点「、」を全部取り払った文章を書いてみて、自分の納得のいく自分の呼吸で読んでみることです。「、」がついているとかならず引きずられますから、「、」を無くして読んでみることをオススメします。

そこで元の文章と比べてみて、元の「、」と少しも違わないところで「、」を入れていた自分を発見する場合もあるでしょうし、まったく違うところで息継ぎをしているかもしれません。

文章に書いてある「、」よりも、普段自分がしゃべっている息継ぎのほうが、その人にとってはホンモノです。文章の「、」は文章を読みやすくするための手段であって、朗読の「間」は「、」だけでは表現できない無数の時間的長さを持っています。そのことも「、」を取り払った文章で練習してみると気付くはずです。

信じるのは自分がかかわったのではない、最初からそこにあった文章ではなく、その文章があたかも自分のなかから自然に湧き出てきたように自分になじむこと。頼るべきは自分なのです。ここまでいうと、いかにわがままに自分を貫き通すかが大切だと言っていますが、それはあくまで出発点なのです。自分ひとりで朗読する場面、聴き手もいないのであればそれでいいのですが、たくさんの人に作家の世界観を含めたすべてを伝えたいと思った時、今度は自分の理解だけを基準にしていたのでは、聞いている人への押しつけになってしまいます。

*練習のコツ

まず読点のついていない文章を自分の読み方、普段の自分の話し方を参考にしながら何回も納得するまで読んでみてください。

そのあと、読点の付いている文章を読んでみて、いかに自分の自然の読み方とは違うものが自分で確認してください。どの読点が必要で、どの読点が自分にとって無用か、よくよく確認してください。林芙美子の「浮雲」の冒頭と、太宰治の「葉桜と魔笛」の手紙部分を例にします。

◉朗読台本をつくる

朗読の準備として、まず、原文をコピーし、朗読台本とします。
この朗読台本は、実際に朗読する際に読むもので、ルビも入れますし、注もかき込みます。
さらに、自分なりに読点「、」をつけたり、消したりします。
台本にルビを入れると楽です。どう楽かというと、本を目で読むときの意味合いとは全然違う「楽」の加減があるのです。

練習 林芙美子「浮雲」

〈読点を取り払った例〉

なるべく夜更けに着く汽車を選びたいと三日間の収容所を出るとわざと敦賀の町で一日ぶらぶらしていた。六十人余りの女達とは収容所で別れて税関の倉庫に近い荒物屋兼お休み処といった家をみつけてそこで独りになってゆき子は久しぶりに故国の畳に寝転ぶことが出来た。

宿の人々は親切で風呂をわかしてくれた。小人数で風呂の水を替える事もしないとみえて濁った湯だったが長い船旅を続けて来たゆき子には人肌の浸みた白濁した湯かげんも気持ちがよく風呂のなかの薄暗い煤けた窓にあたるしゃぶしゃぶしたみぞれまじりの雨もゆき子の孤独な心のなかに無量な気持ちを誘った。

風も吹いた。汚れた硝子窓を開けて鉛色の雨空を見上げていると久しぶりに見る故国の貧しい空なのだとゆき子は呼吸(いき)を殺してその窓の景色に見とれている。小判型の風呂のふちに両手をかけると左の腕にみみずのように盛り上がったかなり大きい刀傷がゆき子をぞっとさせる。

〈ルビと読点を付けた朗読台本〉

なるべく、夜更(よふ)けに着く汽車を選びたいと、三日間の収容所を出ると、わざと、敦賀(つるが)の町で、一日ぶらぶらしていた。六十人余りの女達とは収容所で別れて、税関の倉庫に近い、荒物屋(あらものや)兼お休み処(どころ)といった、家をみつけて、そこで独(ひと)

林芙美子「浮雲」
QRコードで朗読を聴くことができます。

りになって、ゆき子は久しぶりに故国の畳に寝転ぶことが出来た。

　宿の人々は親切で、風呂をわかしてくれた。小人数で、風呂の水を替える事もしないとみえて、濁った湯だったが、長い船旅を続けて来たゆき子には、人肌の浸みた、白濁した湯かげんも、気持ちがよく、風呂のなかの、薄暗い煤けた窓にあたる、しゃぶしゃぶしたみぞれまじりの雨も、ゆき子の孤独な心のなかに、無量な気持ちを誘った。

　風も吹いた。汚れた硝子窓を開けて、鉛色の雨空を見上げていると、久しぶりに見る、故国の貧しい空なのだと、ゆき子は呼吸を殺して、その、窓の景色に見とれている。小判型の風呂のふちに両手をかけると、左の腕に、みみずのように盛り上がった、かなり大きい刀傷が、ゆき子をぞっとさせる。

練習　太宰治「葉桜と魔笛」（恋人からの手紙の部分）

〈読点を取り払った例〉

——きょうはあなたにおわびを申し上げます。僕がきょうまでがまんしてあなたにお手紙差し上げなかったわけはすべて僕の自信の無さからであります。

僕は貧しく無能であります。あなたひとりをどうしてあげることもできないのです。ただ言葉でその言葉にはみじんも嘘が無いのでありますがただ言葉であなたへの愛の証明をするよりほかには何ひとつできぬ僕自身の無力がいやになったのです。あなたを一日もいや夢にさえ忘れたことはないのです。けれども僕はあなたをどうしてあげることもできない。それがつらさに僕はあなたとおわかれしようと思ったのです。あなたの不幸が大きくなればなるほどそうして僕の愛情が深くなればなるほど僕はあなたに近づきにくくなるのです。おわかりでしょうか。僕は決してごまかしを言っているのではありません。僕はそれを僕自身の正義の責任感からと解していました。けれどもそれは僕のまちがい。僕ははっきり間違って居りました。おわびを申し上げます。僕はあなたに対して完璧（かんぺき）の人間になろうと我慾を張っていただけのことだったのです。僕たちさびしく無力なのだから他になんにもできないのだからせめて言葉だけでも誠実こめてお贈りするのがまことの謙譲の美しい生きかたであると僕はいまでは信じています。つねに自身にできる限りの範囲でそれを為し遂げるように努力すべきだと思います。どんなに小さいことでもよい。タンポポの花一輪の贈りものでも決して恥じずに差し出すのが最も勇気ある男らしい態度であると信じます。僕はもう逃げません。僕はあなたを愛しています。毎日毎日歌をつくってお送りします。それから毎日毎日あなたのお庭の塀のそとで口笛吹いてお聞かせしましょう。あしたの晩の六時にはさっそく口笛軍艦マアチ吹いてあげます。僕の口笛はうまいですよ。いまのところそれだけが僕の力でわけなくできる奉仕です。お笑いになってはいけません。いやお笑いになって下さい。元気でいて下さい。神さまはきっとどこかで見ています。僕はそれを信じています。あなたも僕もともに神の寵児（ちょうじ）です。きっと美しい結婚できます。

　待ち待ちて　ことし咲きけり　桃の花　白と聞きつつ　花は紅なり

僕は勉強しています。すべてはうまくいっています。ではまた明日。M・T。

〈ルビと読点を付けた朗読台本〉

――きょうは、あなたにおわびを申し上げます。僕がきょうまで、がまんしてあなたにお手紙差し上げなかったわけは、すべて僕の自信の無さからであります。僕は、貧しく、無能（むのう）であります。あなたひとりを、どうしてあげること

太宰治「葉桜と魔笛」
QRコードで朗読を聴くことができます。

もできないのです。ただ言葉で、その言葉には、みじんも嘘が無いのでありますが、ただ言葉で、あなたへの愛の証明をするよりほかには、何ひとつできぬ僕自身の無力が、いやになったのです。あなたを、一日も、いや夢にさえ、忘れたことはないのです。けれども、僕は、あなたを、どうしてあげることもできない。それが、つらさに、僕は、あなたと、おわかれしようと思ったのです。あなたの不幸が大きくなればなるほど、そうして僕の愛情が深くなればなるほど、僕はあなたに近づきにくくなるのです。おわかりでしょうか。僕は、決して、ごまかしを言っているのではありません。僕は、それを僕自身の正義の責任感からと解していました。けれども、それは、僕のまちがい。僕は、はっきり間違って居りました。おわびを申し上げます。僕は、あなたに対して完璧の人間になろうと、我慾を張っていただけのことだったのです。僕たち、さびしく無力なのだから、他になんにもできないのだから、せめて言葉だけでも、誠実こめてお贈りするのが、まことの、謙譲の美しい生きかたである、と僕はいまでは信じています。つねに、自身にできる限りの範囲で、それを為し遂げるように努力すべきだと思います。どんなに小さいことでもよい。タンポポの花一輪（いちりん）の贈りものでも、決して恥じずに差し出すのが、最も勇気ある、男らしい態度であると信じます。僕は、もう逃げません。僕は、あなたを愛しています。毎日、毎日、歌をつくってお送りします。それから、毎日、毎日、あなたのお庭の塀（へい）のそとで、口笛（くちぶえ）吹いて、お聞かせしましょう。あしたの晩の六時には、さっそく口笛、軍艦（ぐんかん）マアチ吹いてあげます。僕の口笛は、うまいですよ。いまのところ、それだけが、僕の力で、わけなくできる奉仕（ほうし）です。お笑いになっては、いけません。いや、お笑いになって下さい。元気でいて下さい。神さまは、きっとどこかで見ています。僕は、それを信じています。あなたも、僕も、ともに神の寵児（ちょうじ）です。きっと、美しい結婚できます。

　待ち待ちて　ことし咲きけり　桃の花　白と聞きつつ　花は紅（べに）なり

　僕は勉強しています。すべては、うまくいっています。では、また、明日。M・T。

　読点を取り払った例と、自分で新しくルビと読点をつけた付けた「朗読台本」も含めて読み比べると、だいぶ違っているのではないでしょうか。もともと作家自身が付けた読点もあるでしょうし、声に出して読んで付けた作家もあると思います。

どうすればそこを判断できるかというと、それは朗読者自身にゆだねられています。そこが朗読のおもしろさでもあります。

3 「時代小説」の言葉とストーリー

◉漢字は聴くだけだとわからない

小説の朗読は朗読する人なら誰もが好きです。小説を読んでいると、文字が瞬時に、その世界に私たちを連れていくタイムマシンの役割をしてくれます。リアルであればあるほどその体験は実際の経験と等しく、わが身の全身の細胞に蓄積されていくといってもいいですね。それを朗読するということは、その時代を含めた人の心、全体をつかまえるということなのです。自分が舞台や映画の総監督になって、そこに世界を作るということです。

吉川英治「春の雁」を例にあげましょう。

吉川英治は一八九二（明治二十五）年、旧小田原藩士の家に生まれています。横浜の私立の小学校に行ったものの子どもの頃に家運が傾き、小学校は中退。それからいろいろな職業を点々としました。十七歳のときには、横浜港の船に乗り込み工員として働いています。十九歳で浅草に住み、象嵌蒔絵師（ぞうがんまきえし）のところで住み込み働きました。一九二二（大正十）年、二十一歳で東京毎夕新聞記者に転じています。若いときの体験が、吉川英治の作品を豊かにしていると言えます。

吉川英治といえば『宮本武蔵』に代表される剣豪もので知られています。この「春の雁」は吉川英治にはめずらしく恋がテーマです。舞台はおそらく江戸末期、深川の花柳界（かりゅうかい）です。

出てくる言葉が色街に附属の言葉で特殊なものが多く、現代ではまったく死語になっているものもたくさんあります。

これを朗読でどう聞いてもらえるかはとてもむずかしい。目で読む時は漢字を拾っていくので、漢字はもともと表意文字ですから、なんとなくわかるという範囲が耳だけで聞くよりもひろいです。朗読だと、音だけ聞いてもなんのことかわからない。廓話（くるわばなし）はおもしろいし単語がお洒落ですから、実際には体験したことがなくても、お客さんの中には用語になじんでいて、特殊な言葉に案外ついていける人も多いでしょう。お客さんの言葉の理解度は人によってとても違います。

◉聴き手がすんなり物語の世界に入るには

朗読は、最初の場面でしっかりと物語の大枠が頭のなかに描けないと、あとあとまでわからないなりに聴いてしまうことになります。

すんなり物語に入れないストレスはとても大きくて、朗読を聴くことが嫌いになってしまうかもしれません。できるだけ速やかに聴き手の方たちには物語の世界に入ってほしいのです。舞台の上のセットのように、どんな場面が展開しているか頭にきちんと入れていただくことが大切です。

舞台にはセットがあります。いろいろなことが瞬時にわかります。朗読者は舞台監督になったつもりでと私はよく言うのですが、舞台ですと、幕が開くと目の前に舞台空間が現われます。家の中が見通せる大道具のしつらえがあり、その時代の雰囲気を見事につくっています。ああ、これは江戸時代らしい、商人の家かな、格子があり、路地の感じといい雰囲気がどことなく堅気さんの住むところと違うようだ、遊廓ってこんなところかしら、と推測します。そこへ人物が登場し、会話が飛び交い、お客さんは自然とその世界に誘われていくもの。現物の力は大きいですね。

「春の雁」のスタートは、江戸深川八幡宮の近くにあった歓楽街・御旅の芸者屋通船楼の若いおかみさんと、長崎出身の若い旅商人で、諸国をめぐり歩いて反物、書画骨董などを売り歩く清吉とのやりとりからはじまります。しかし、物語を聴いているだけでは何をしているのかわかりにくいのです。

練習　吉川英治「春の雁」

〈朗読台本〉

からっとよく晴れた昼間ほど、手持ち不沙汰にひっそりしている色街であった。この深川では、夜などは見たこともないが、かえって昼間はどうかすると、御旅の裏の草ッ原で、子を連れて狐が陽なたに遊んでいたりする事があるという。

――通船楼の若いおかみさんは、

「何だえ、包み始めてさ。……負けずに持って帰るつもりかえ」

歯ぎれのいい女だけに、笑いながら云っても、人を蔑むように美しいのである。

清吉は、頭を掻いて、

「だって、御寮人様、何ぼなんでも、この唐桟を、十七両だなんて」

「高価すぎるかえ」

「ご冗戯でしょう。新渡じゃあござんせんぜ。これくらいな古渡りは、長崎だって滅多にもうある品じゃないんで」

内緒部屋（遊女屋の主人の居間または帳場）の障子の桟には、絶えず波の影が揺らいでいた。すぐ裏手が、晩には猪牙（猪牙舟の略。隅田川の舟遊びや吉原通いに用いられた）の客を迎える狭い河だった。

「どうするのさ」

通船楼の若いおかみさんは、清吉には苦手なお客様だとみえる。せめて二十両でといえば、良人に着せるのだから、自分の一存ではそう高く買えないという。

「じゃあ、とにかく、置いて参りますから、旦那様にもお目にかけた上でひとつ……」

そこらへ並び散らしてある他の鼈甲物だの、縞だの、珊瑚だの、香料だの、青磁だの、支那文人画の小点などを、片手に提げられるくらいな包みに小ちんまりと纏めてしまうと、

「これでいいだろう」

金を出して、通船楼のおかみさんは、唐桟の一巻を、自分の後ろへころがした。数えてみると、二十両あるので、清吉はかえって眼をみはってしまった。まだ二十歳を幾つも出ていまいと思われるのに、青い眉と黒豆のような歯並びをしているおかみさんは、

「ホホホホホ。揶揄って上げたんだよ」

と、独りでおかしがった。

「へえ、ひどい事を！」

「あたりまえさ。良人にわたしが見立てて着せようというのに、穢い値切り方をしたの、買い惜しみをしたのと聞いたら、着るにも気色が悪いと云って、

良人だって着やしないし、わたしの意気だって届かないじゃないか」

「これはどうも、手放しなところを」

「お惚気賃は、前払いで云っている筈なんだよ」

三両の聞き賃かと思えば、ごもっともでといくらでも神妙に聞ける。勿論、清吉だってまだ若いのだし、木の股から生れたのでもないから、こんな女の素惚気は決していい気持なものではないが。

それに清吉は、三年のうち二年を旅暮しで送っている身だった。家は長崎で、反物や装身具や支那画などの長崎骨董を持って、関西から江戸の花客を廻り、あらかた金にすると、春の雁のように、遥々な故国へ帰ってゆくのである。


まず清吉が女将さんに「唐桟」を売ろうとしているところ。「唐桟」は当時、舶来品の綿織物です。女将さんと清吉とふたり、遊女屋の帳場「内緒部屋」でのやりとりです。「内緒部屋」は音を聞いただけでも、どんな傾向の部屋なのかぼんやり浮かびますが、知っていると知らないはやはり大違いですね。すぐ裏手は夜になると「猪牙」の客があがってきます。「猪牙」とは隅田川の舟遊びや吉原

吉川英治「春の雁」
QRコードで朗読を聴くことができます。

通いに用いられた小舟です。『鬼平犯科帳』など時代劇にはよく出てきますね。

清吉はこの「唐桟」は「新渡（しんと）」ではなく「古渡（こわた）り」だといいます。だから高いのだという意味です。新渡は江戸時代に入って渡来したもの、古渡りはそれ以前のもの。でも「だから高いのだ」とは書いてありません。現代だと新しい反物は高くて、古布は買いたたかれるほど安いので、このあたりの感覚は逆になります。お江戸の生活感覚を知っているかどうかは物語を理解できるかどうかの重要な聴き手側のポイントになります。

内緒部屋、唐桟、新渡、古渡り、猪牙など漢字で書くとなんとなくわかりますが、音だけ聴いてみると、「内緒部屋」はなんだかぼやっとわかるけれども、あとはわからない。それから「芸妓（げいぎ）」も〝はおり〟と読ませています。文字で見るから「ああ、芸妓さんのことをここではそう呼ぶのか」とわかるのであって、〝はおり〟だけ聴いてもわからないでしょう。これも事前に説明したほうがいいですね。江戸・深川で羽織姿で活躍した辰巳（たつみ）芸者のことですと。ついでに男勝りで気っぷのよさが売り物だったと。

近・現代の作家の書く文章は、死語になったものでも、そのまま読んで前後の脈絡から推察できるものがほとんどです。そんなときはあえてそのまま、前振りの説明なしで読む。しかし廓（くるわ）舞台のように、いまはもう生活のなかに情景全部が消えてしまっている場合は、前もっていくつかの言葉、単語は説明するというのが、今の私の朗読のやり方です。

春の雁

からっとよく晴れた昼間ほど、手持ち不沙汰にひっそりしている色街であった。この深川では夜などは見たこともないが、かえって昼間はどうかすると、御旅（江戸深川八幡宮の近くにあった歓楽街）の裏の草ッ原で、子を連れて狐が陽なたに遊んでいたりする事があるという。

——通船楼の若いおかみさんは、

「何だえ、包み始めてさ。……負けずに持って帰るつもりかえ」

歯ぎれのいい女だけに笑いながら云っても、人を蔑むように美しいのである。

124

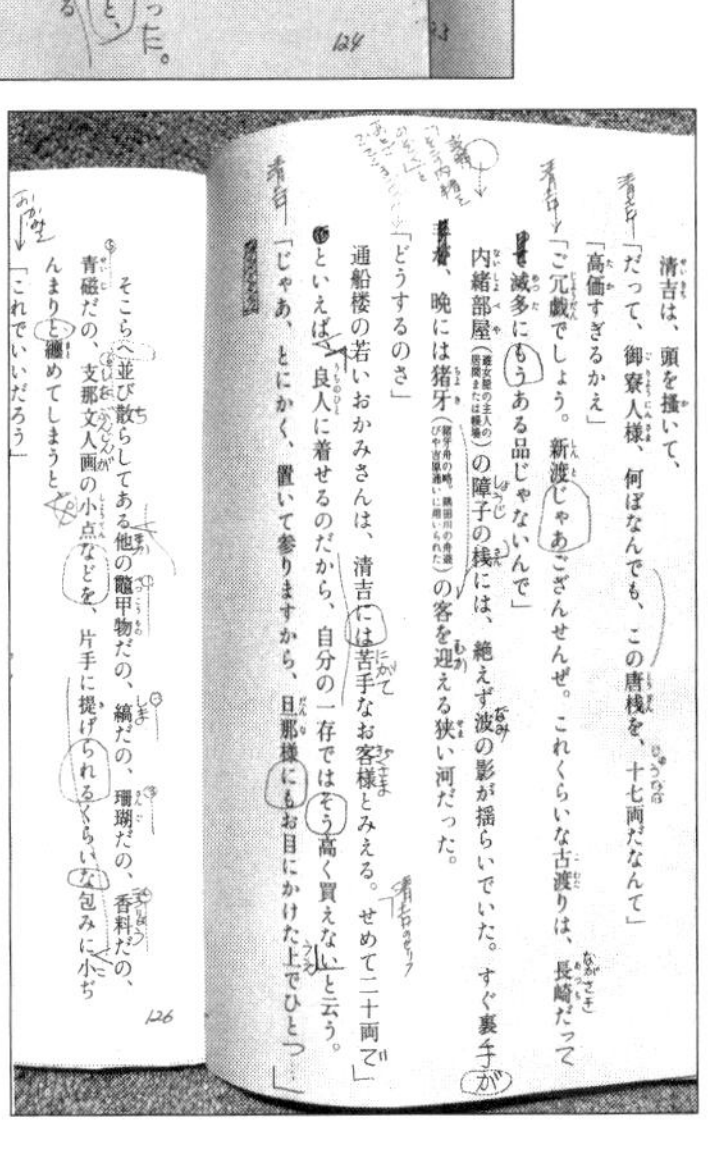

清吉は、頭を掻いて、

「だって、御寮人様、何ぼなんでも、この唐桟を、十七両だなんて」

「高価すぎるかえ」

「ご冗戯でしょう。新渡じゃあござんせんぜ。これくらいな古渡りは、長崎だって滅多にもうある品じゃないんで」

内緒部屋（遊女屋の主人の居間または帳場）の障子の桟には、絶えず波の影が揺らいでいた。すぐ裏手が晩には猪牙（猪牙舟の略。隅田川の舟遊びや吉原通いに用いられた）の客を迎える狭い河だった。

「どうするのさ」

通船楼の若いおかみさんは、清吉には苦手なお客様とみえる。せめて二十両でといえば、良人に着せるのだから、自分の一存ではそう高く買えないと云う。

「じゃあ、とにかく、置いて参りますから、旦那様にもお目にかけた上でひとつ……」

そこらへ並び散らしてある他の鼈甲物だの、縞だの、珊瑚だの、香料だの、青磁だの、支那文人画の小点などを、片手に提げられるくらいな包みに小ぢんまりと纏めてしまうと、

「これでいいだろう」

126

「春の雁」朗読台本

◉言葉か、ストーリー重視か

聴いてわからない昔の言葉をどう扱うか、ここで二とおりの考え方があります。赤ん坊のとき、言葉は頭の中に入っていません。はじめての言葉を次々に吸収していくわけで、もともと言葉というものは後追いで覚えていくのはあたりまえなので、はじめはわからなくていい。そのうちわかればいい、という考え方。もう一言いうと、どんなむずかしい言葉でも使ってはじめて生きるのだから、むずかしいといって言い換えたりすべきではない。使わないと言葉そのものが死に絶える運命にあるではないか、という考え方。どちらかというと言葉そのものの力を信じ尊重する考え方。

もう一つは、小説の舞台空間をつかんでおいたほうがいいので、わからないものは説明してからはじめる。とくに朗読の最初の場面に出てくる言葉は補足しておく。あらかじめ伝えておくという考え方。朗読の場合は元に戻って確認することができないので、言葉はその場でキャッチしないと流れてしまいます。「あれ、今の言葉はどういう意味だろう」などと疑問が生じると、もう次のストーリーは耳に入らなくなってしまいます。ですので、特に最初のシーンはしっかり理解できるほうがいい。ストーリー尊重の考え方。

ケースバイケースでどちらも一理あるのですが、この「春の雁」の場合はスタートのところでわからない言葉の連続ですから、やはり物語にはいる前に説明しておいたほうがいいでしょう。

廓話に慣れているお客さんにはうるさいだろうなと思いつつ、みなさんにわかってもらうほうを優先します。はじめに物語の大枠をつかんで理解できると、後半になって登場してくる「わからない言葉」はその前後の文脈から推測できることが多いので、それこそ私たちの「新しい言葉をキャッチする」能力を大いに発揮してもらうほうがいいでしょう。「春の雁」は作品そのものに、ぐいぐいお客を引っ張っていく力があります。それだけに、スタート時点でお客の理解をそろえておいたほうが、大方のお客さんにとって親切ということになり、朗読者にとっても幸せな選択だと思います。

4 「古典」を読むときのコツ

◉古典を朗読するきっかけ

古典を朗読してみようかと初めて思ったのは二〇一〇年、六十歳になるころでした。

二〇一〇年の一月、古文朗読をワークショップ形式で学んでいく仲間を募って『平家物語』を十五人ほどで、勉強し始めました。そのころまだ存在していた東京の明大前にある「キッド・アイラック・アート・ホール」という老舗の小劇場の空き時間を借りて、二週に一回集まって、みんなで勉強することから始めました。東京では先駆け的な小ホールで、多くのアーティストを輩出していたあこがれのその場所で、勉強した成果を舞台にすることができて感激しました。それが「古文を現在の読み方で読む『平家物語』」の第一歩だったように思います。

小説などを読む時は素直に日常の言葉づかいで声に出していけば、心を揺さぶられた時には感動します。泣くこともあります。でも古典と言われる『平家物語』の琵琶語りにしろ、義太夫語りにしろ、長唄、はたまた古典調である歌舞伎のセリフにしろ、講談にしろ、なじみのない者には不自然に聞こえて、どうしても素直に涙を流して感動するまでに至らないのです。

まあ、私が芸に対する教養がないのが原因なのですが、感動のしどころ、芸のツボを知らないものですから、どうしてこんなに日常会話からは遠い世界なのだろうと……。聞いてもよくわからないし、母音をことさら伸ばしたり膨らませたり、その操り方がどうしても不自然に聞こえるので、母国語の耳で聞く「古文」の難しさを哀しい思いで眺めていたのです。楽しむことを諦めかけていました。

そんなもやもやから、どうしても思いが募ってきたのは、「現代の文章を普通にしゃべるように、古文を言葉にのせてみたらどうなるだろう」という実験です。

もともと古文なので、現代調に読むと無理があるのに決まっていますが、そこは怖いもの知らずで、古文の現代語訳を前置きとして話すなど、工夫しました。その小ホールを舞台に十五人の演者でお客様に聞いていただいた時は、なんとかやれたとみんなで喜んだものです。とても達成感がありました。

そして、その後もやはり「怖いもの知らず」で兵庫県明石市にある平家ゆかりの須磨寺で、現代のしゃべり言葉に近づけて『平家物語』を声にして読んだ時も、大勢のお客様に来ていただき、わかりやすかったと好評をいただきました。

その時、お客様の中に、『平家物語』に関して詳しい地元の大西堯哉先生が聞きに来てくださったことを覚えています。あまりにありがたくて仏様にみえました。でも、素人がこんなことやってと叱られるかと思い、私はすっかり震え上がってしまいました。

大西先生は私に、「青木さん、このような『平家物語』を現代に生かそうという試みは、ぜひずっと続けていただきたいですね」とおっしゃってくださいました。私が「どこかへんなところがありませんでしたか」とお尋ねすると、「ひとつだけ、小督(こごう)のところで」と少年のようにいたずらっぽい目をなさいました。

◉地声で大きくゆったり読む

『平家物語』はざっくり言うと、平清盛の登場から平家滅亡まで二百以上のエピソードで綴られていますが、琵琶法師によって語り伝えられたその言葉は、口にするのにまことに美しい韻律を含んでいて多くの人に愛されています。

〈朗読台本〉
祇園精舎の鐘の声　諸行無常の響あり。
娑羅双樹の花の色　盛者必衰の理を顕す。
奢れる人も久しからず　ただ春の夜の夢の如し。
猛き者もつひには滅びぬ　偏に風の前の塵に同じ。

というのはあまりにも有名ですね。普段しゃべっている時の地声を使って、大きくゆったり言ってみてください。

もともとの原文には句読点はないですが、ためしに句読点なしに読んでみると、どこかで息継ぎをしなければならなくなります。とりあえず、上記の四行のくくりが息継ぎにふさわしい場所だなとすぐにわかります。この行変えのところまでは意味も一括りになっていて、いくらここで休憩しても、大丈夫だなとわかってきます。ですからここは「。」を打ちます。それで四行になりましたが、とてもゆっくり読むと、さらに息継ぎが欲しくなります。ほかに何処に間(ま)をあけたらいいか、声に出してみてください。声にださなくてもわかりますね。「祇園精舎の鐘の声」が一連の意味のひとくくりです。でも上記の四行変えの時ほどの長い間ではなく、短くていいな、とわかってきます。そうすると「、」を打ってみて、八行になりますね。

私たちは現代詩を読むときも、行変えのところでちょっと休むというルールに従っています。その「ちょっと」の長さは人によってさまざまですが、その慣れたルールに従って読めるので、安心感があります。

祇園〜精舎の〜

鐘の〜声〜
諸行〜無常の〜
響き〜あ〜り〜

なんて、「〜」を思いっきり延ばして歌って、別のジャンルの「芸」の門戸が開いてくるような気がしませんか。そうなると、朗読だけでもおもしろすぎて手一杯なのに、人生短すぎて、おもしろそうな「芸」の世界に一から踏み分けて入っていく時間がないのです。

さらに読むときのコツ、続けましょう。

名詞を他よりもすこしゆっくり、高めに強めに発音して、まず素直に声にしてください。この名文は、個々人がいろいろなバリエーションも楽しめるので、節をつけてみたり、うたい上げてみたり、うなった感じ、泣いてみたり、自由自在、勝手気ままに遊ぶ気持ちで。

そして録音してみて、自分で自分が一番「かっこいい」と思える言い方を自分のものとしてください。この「スカッとかっこいい自分」を探す作業は自尊心との格闘です。「自意識過剰気味の自分」では自分探しはできません。ぜひ自分のためにも、自分の声を冷静にフラットに聞き分ける耳を養ってください。そのためにも録音して、客観的に自分の声を聞くことは大切です。

◉何度も読むとわかること

さて、その大西堯哉先生が指摘してくださった小督のところ。小督は宮廷一の美女で琴の名手です。清盛の娘徳子は高倉天皇の中宮でしたが、高倉天皇は小督を寵愛します。清盛の怒りを逃れるため、小督は嵯峨野に身を隠します。高倉天皇は源仲国に小督を探すように命じ、仲国が嵯峨野を探し回るところです。

練習　『平家物語』巻六の四　小督

〈原文〉

小鹿鳴くこの山里と詠じけん嵯峨の辺の秋の比さこそは哀れにも覚えけめ

折片戸したる屋を見付けてはこの中にもやおはすらんと控へ控へ聞きけれど

も琴弾く所はなかりけり御堂などへも参り給へる事もやと釈迦堂を始めて堂々見廻れども小督殿に似たる女房だにもなかりけり空しう帰り参たらんは参らざらんより中々悪しかるべしこれよりも何方へも迷ひ行かばやとは思へども何処か王地ならぬ身を隠すべき宿もなしいかがせんと案じ煩ふまことや法輪はほど近ければ月の光に誘はれて参り給へる事もやと其方へ向かひてぞ歩ませける
亀山の辺近く松の一叢ある方に幽かに琴ぞ聞えける

（Web『日本古典文学摘集』〈原文〉巻第六の四　小督より）

句読点のない原文のままですが、私やワークショップの仲間たちは、それこそ何百回も声にして、なじんでいますので、句読点がなくてもすらすら読めます。でも最初は、句読点が打ってあるテキストのほうが入りやすいでしょう。ただし、前にもいいましたが、句読点はよくよく自分の日常の感覚で読み直してみて、「こちらのほうがいいな」と思ったら、あるいは違和感がぬけないようでしたら打ち直してください。

句読点がつけられている『新編日本古典文学全集45　平家物語①』（小学館）か

『平家物語』「巻六の四　小督」より
QRコードで朗読を聴くことができます。

ら抜き書きしたものもここに出します。

〈句読点をつけた原文〉

　をしか鳴く此山里と詠じけん、嵯峨のあたりの秋のころ、さこそはあはれにもおぼえけめ。片折戸したる屋を見つけては、此内にやおはすらんと、ひかへ〳〵聞きけれども、琴ひく所もなかりけり。御堂(みだう)なンどへ参り給へる事もやと、釈迦(しやか)堂(だう)をはじめて、堂々みまはれども、小督殿に似たる女房だにみえ給はず。むなしう帰り参りたらんは、なか〳〵参らざらんよりあしかるべし。是(これ)よりもいづちへもまよひゆかばやと思へども、いづくか王地(わうぢ)ならぬ、身をかくすべき宿もなし。いかがせんと思ひわづらふ。まことや法輪(ほふりん)は程ちかければ、月の光にさそはれて、参り給へる事もやと、そなたにむかひてぞあゆませける。

　亀山のあたりちかく、松の一むらあるかたに、かすかに琴ぞきこえける。

（『新編日本古典文学全集45　平家物語①』小学館）

〈現代語訳〉

小鹿鳴くこの山里と、かつて藤原基俊卿が詠んだという嵯峨の辺りの秋の頃は、さぞかし哀愁が漂っていたであろう

折片戸をした家を見つけては　この家におられるかなと、馬を止め止め聞き回ったが、琴の音がするところはなかった　御堂などにいらっしゃるかもしれないと、釈迦堂をはじめ、諸堂を見回ったが、小督殿に似た女房はいなかった　手ぶらで帰っては、探しに出ないよりまずかろう　ここからどこかへ迷い込みたい気分だが、帝の土地でない地はない、身を隠す宿もない　どうしよう　悩んだ　そういえば、法輪寺がほど近いから、月の光に誘われて参っておられるかもしれん　とそちらへ向かって馬を歩ませた

亀山の近く、一叢の松林がある方でかすかに琴の音がする

（Web『日本古典文学摘集』〈現代語訳〉巻第六の四　小督より）

何度も声に出すと、何を言っているのかだんだん分かってきます。何度も言ってみることが大切です。源仲国が、ここではないか、あちらではないか、釈迦堂

かもしれないと、馬を歩ませて探すけれども、みつからないのです。どうしようと思いあぐねて、「まことや」となるわけ。

大西先生のご指摘だったところは、この「まことや」というセリフの言い方。「そうだっ！」と閃いたのです。その感じを出して読んでほしいということでした。ほんとうに貴重な教えをいただきました。古文とはいえ、重々しく粛々と読んでいくのかなあと思っているところもありましたが、そうではなく、生きた人間が発するその言葉感覚で伝えていくのだと。

◉パリの空の下『源氏物語』は流れる

二〇二三年の半ばごろ、笹川日仏財団の方から電話があり、「青木さん、古文で『源氏物語』を読んでくださいませんか」とのこと。「ええっ、原文で一度も読んだことない私にどうして声をかけてくださるのですか」と問うと、「だって『平家物語』を読んでらっしゃるでしょう」と言われます。それはそうなのですが、ぜんぜん難しさが違うのです。

『平家物語』はいわば壮大な叙事詩のようなもの。ながい間、琵琶法師によって、全国津々浦々、庶民から宰相までに聞かせるべく練り上げられ、美しいスタイルに整えられ、伝承されてきた語り物というイメージがあるでしょう。琵琶法師が音を奏でやすいように、耳でなじむように、その朗読にはよりどころとなるわかりやすい言葉の連なりがあるのです。

一方の『源氏物語』は世界最古の長編小説。しかも作者の人間を見る慧眼は計り知れないほど鋭く、合わせて権謀術数にたけた宮廷人をもうならせてその後の時代をかいくぐり、今に伝わる奇跡をなした小説ですから、あからさまに書いていないところも多く、登場人物の心理を読み解く力量が要求されそう。私にはムリムリ無理！　と逃げていたのですが、これもまた、日本人に生まれたからには、こんな出会いを天啓として受け止めねばと、自分を叱咤してお引きうけしたのです。

二〇二三年十一月二十二日から二〇二四年三月二十五日まで、フランス国立ギメ東洋美術館で「光源氏の宮にて——日本の千年の想い」展が行なわれました。平安時代の貴族の暮らしや、『源氏物語』にまつわる展示がなされていて、朝からチケットを求める人の長蛇の列、空前のブームになりました。

その美術館から頼まれたのは、『源氏物語』柏木の帖の五分〜六分の朗読です。エンドレスで会場に流れている日本語の原文朗読を、わかってもらおうという設定ではなく、お客様のフランス人にとってはバックグラウンドミュージックを聴いているような感覚なのでしょうか。私にとっては『源氏物語』初の原文朗読がパリの空の下を流れるという、不思議な巡り合わせなのでした。七十三歳になってはじめての体当たり源氏朗読、せっかくの出会いなので、これからさらに続けていこうと決心しましたが、いつまで生きているのやら、と導かれた思いに胸はいっぱいです。

◉描写の変化に対応して読む

さてその柏木の部分の朗読の難しかったことったら。なにがむずかしいといって、主語がないのに、数人の登場人物の心中が次々に描かれて、短い間に、しかも瞬時に、時間や空間が変わるのです。視点が変わる。

それをひと言ひと言、今はこの人の目になって気持ちを集中させてとか、考えていることがここで切り替わるから瞬時にスイッチオフしなければとかを、体にたたき込んでいかないと、すらすら読めないのです。上手に感情移入することも必要です。というより感情移入して、誰がその文章の主体であるかを聴き手に感じてもらうことによって、その場の全体像なりやりとりを、脳内に構築できる助けにしてもらうわけですから、登場人物の複雑な感情をしっかり捉えていなければならない。反射神経はフィギュアスケートの演技並みに要求されます。

たとえばその場面をみてみましょう。

練習 『源氏物語』「柏木　若君の五十日の儀」

源氏の正妻となった女三宮（おんなさんのみや）は、源氏の甥である柏木（かしわぎ）と密通して男の子（薫（かおる））を生みます（もちろん政略結婚で、仕方なしに）。源氏はそのことを知ってしまいますが、他の誰も気づきません。柏木は源氏が恐ろしすぎて病気になって死んでしまいます。女三宮は世をはかなんで出家したく、父親の朱雀院（すざくいん）（元天皇ですが僧侶になっています）が尋ねてきた折り、父に頼んで出家してしまいます。生まれた子の生後五十日目の「五十日(いか)の祝い」の日、周囲がにぎやかに祝いを執り行なっているとき、(不義の子だと知っている)女三宮と源氏が会話をかわすところがあります。

ここのくだりはこんなところから始まります。

〈原文〉

三月(やよひ)になれば、空のけしきものうららかにて、この君五十日(いか)のほどになりたまひて、いと白ううつくしう、ほどよりはおよすけて、物語などしたまふ。

(『新編日本古典文学全集23　源氏物語④』「柏木」小学館)

〈現代語訳〉

三月になると、空の風情(ふぜい)もどことなくうららかで、この若君は、五十日(いか)のお祝いをなさるころにおなりになって、まことに色白でおかわいらしく、日数にしてはお育ちもよく、何やらものを言ったりなさる。

(同前)

何回も読んでみると、どんどんわかりやすくなって気持ちよく声にできます。

これは先程もいいましたが、句読点のない古文のままの原文でも同じこと、古文を音にして聞くその美しさを心ゆくまで楽しんでください。

では、お祝いの様子です。

〈原文〉

御乳母（めのと）いとはなやかに装束（さうぞ）きて、御前（おまへ）の物、色々を尽くしたる籠物（こもの）、檜破子（ひわりご）の心ばへどもを、内（うち）にも外（と）にも、本（もと）の心を知らぬことなれば、とり散らし、何心もなきを、いと心苦しうまばゆきわざなりやと思す。

（同前）

〈現代語訳〉

御乳母（めのと）がまことにはなやかに着飾って、御前の召しあがり物、彩りを尽した籠（こ）物（もの）や檜破子（ひわりご）の趣向の数々を、御簾（みす）の内にも外にもあたり一面に並べて、この若君ご出生の真相は知らぬこととて、女房たちが無邪気にふるまっているのをごらんになると、大殿（源氏）はまことにつらく目をそむけたいようなお気持ちになられる。

（同前　パーレン内は青木）

『源氏物語』「柏木」より
QRコードで朗読を聴くことができます。

何回読んでみても、やっぱり話の主体が、乳母から源氏へとするりと入れ代わるところ、「いと心苦しうまばゆきわざなりやと思す」が、うっかりすると集中力がついていかないのです。「まばゆき」という言葉は、「光り輝いて美しい」のではなく「じっと見ていられない」ということなのですが、何度読んでも頭の中での意味の転換が間に合わないのです。現代文ですとルビを振ったり、丸をつけたり、一括りのところは線を引いたり、読み方の台本を作って瞬時の変換作業を乗り越えるのですが、それがむずかしい。

次に源氏が、尼姿になった女三宮のところに行くところ。

源氏は「尼になるなんて私を見捨てたのですね」などと言いながら、内心は「妻が尼になるなんて体面に傷がつく。しかし、今後のことを考えると、ことの真相を勘づかれないためにも、これはこれで良かったのかもしれない」なんて考えているのです。源氏はなんだか二人だけにわかる会話で、チクチク女三宮を責めます。女三宮のほうも「あなたは私に情(じょう)がないといわれますが、尼というのは俗世の情などからは切り離されたものです。それに、もともと情などないと(あなたに)

いわれてきた私ですから、答えようがありません」などと、複雑なやりとりが続きます。そしてこれに続く源氏の

〈原文〉

「かひなのことや。思し知る方もあらむものを」（同前）

〈現代語訳〉

「まったくなあ。わかっているくせに」（柏木とは情を深くかわしたのではないですか）（朗読台本）

で二人のこの場の会話はおしまい。裏の会話は皮肉に満ちてひどいのです。

ここは読んでいて、声も気持ちも地獄に落ちたみたいに暗くなりました。救いがない、なんてものではない。『源氏物語』のほとんどはじめのあたり、若き源氏は自分の父の后(きさき)になった藤壺を永遠の女性と崇め、密かに忍んでいき、不義の子を生ませてしまう。それを源氏と藤壺以外誰も知らず、この物語は粛々と進み

ます。やがてその子は天皇の位に着いて（冷泉帝）、源氏は栄華を極める。そして「柏木」のこのシーンなのですから、源氏の苦しみはただ単に「妻に裏切られた」だけではないのです。

ここのところを、録音した自分の声で聞いてみると、「まるでホラー」というような怖さです。怖い怖くないは内容にかかるのだと、いまさらながら思います。

子どもの頃、おそらくラジオから流れる朗読だったのでしょう、『源氏物語』の古文朗読を聴いたことがあって、その時の印象は、『源氏物語』というものはおばあさんが重々しく暗い声で読むものなのだ」というものでした。子どもなので意味がまったくわからないのは仕方がないとして、堅苦しくて面白くなさそうだと思ってしまった。それも長年、古文から遠ざかっていた一因かもしれません。

かつての朗読は、古文を読むときの姿勢は「音吐朗々と読むべし」というような、一律の固定観念のようなものがあったのでしょう。いま生きている言語を使う朗読ではなく、「古文」なのだからガラスケースに入った貴重なものを崇めるべく尊重して、と。勿体をつけることも重要だったのではないでしょうか。

その年齢に自分がなって、自然の流れのままに素直に文章を読み解いて、感じて声にする。怖いときにはホラーにもなるし、一転、明るい清々しい場面にもなる。自在に表現できてこその朗読だと思います。

では、そのパリの空の下に流れた怖い部分、聞いてみてください。

5　現代小説の「感情移入」について

◉「感情移入」の量と質

小川洋子さんの『刺繍する少女』は朗読するのにちょっとむずかしいところもありますが、オススメの作品です。

大人の「僕」がホスピスに入る母親に付き添って、初日、中庭で看護婦さんの説明を受けるところから始まります。現代を生きる私たちが想像しやすい設定で、スタートの僕と看護婦さんの会話のところから、おだやかに感情移入できます。無理なく声に出すことができるのです。

「感情移入」することは、朗読ではむずかしいことが多いのです。というのは、どのくらい感情移入すれば適切か、量と質の問題があり、かなりのコントロールを要します。朗読に慣れない人は感情移入しすぎて、いわゆる「臭い芝居」のようになったりして、聴いているほうが落ちつかなくなることがありますし、むしろ「感情移入」しないで淡々と読んだほうが聴きやすいと、しばしば言われるのもそこです。

感情移入過多になると、聴いているほうは読み手の心の波に巻き込まれそうになって、物語の内容に入っていけなくなる。「わかった、わかった、あなたの気持ちはわかったし、この作品に対する思い入れは充分わかるよ。だけどもうすこし、こっちに鑑賞の自由を与えてくれないかなあ」という言葉が聞こえて来そう。

聴き手は、聴きながら自由にそこから湧き起こる感情に身を任せる特権があるはずなのに、その前に読み手が立ちはだかって、「ここはこういう情感なのだからこう聴きなさい」と、感じ方まで押しつけられているような気がして、たまったものではないと感じるのです。だからといって、感情移入することが悪いのではないのです。感情移入の量が多すぎたり、表現が下手だったりするので、そこが問題。

朗読で特に肝心なのは、感情に翻弄されないこと。感情を表出するなと言っているのではなく、湧き起こる感情をうまくあやつりながら読んでいく、そして冷静かつ客観的なもうひとりの自分がしっかりその自分自身の姿を見つめている。そこがとても大事なのです。

練習 小川洋子『刺繍する少女』

この『刺繍する少女』は会話と地の文が交互に現われてきます。会話は日常の自分の言葉で自然に言いやすく、地の文はホスピス内の出来事ですから、飛んだり跳ねたりはしない。淡々と過ぎる時間を想像するだけで、自然と読み方は思索的になります。したがって、地の文とセリフとの間にめりはりが効いて、ホスピスの暮らしの空間を出現させやすくなっています。

冒頭のところを挙げてみましょう。

〈原文〉

「中庭に猫が住みついていますけど、食べ物はやらないようにして下さい」

シャワールームの使い方や、食堂の利用時間や、ベッドの操作の仕方や、あれこれ丁寧に説明してくれたあと、看護婦さんは付け足して言った。

「食べ物はやらない……」

僕はメモの最後に猫と書いて丸で囲んだ。

「太りすぎで糖尿になったものだから、食餌制限中なんです」

彼女は首を傾けて微笑(ほほえ)んだ。ここの看護婦さんはみな、大きなポケットが二つついた薄ピンク色のエプロンを着ているので、洋菓子教室の先生か保母さんのように見える。

「他に何かご質問があれば、どうぞ」

僕はベッドの母に目をやった。

「いいえ、いいえ。何も申し上げることなどございません。もう充分でございます」

横になったままお辞儀をしようとしたせいで、母の声は毛布の中にこもり、余計弱々しく聞こえた。

ホスピスでの第一日めは、事務的な手続きをしたり、荷物を整理したりしているうちにすぐ過ぎてしまった。

（略）

「夕食をもらってくるよ」

昼間看護婦さんに教えてもらったとおり、調理室で患者用と家族用の食事を受け取り、病室に運んで二人で食べた。母のは、ささみのバター焼き、温野菜、オニオンスープ、みかんゼリーだった。僕のは、ささみの代わりにミートボールで、デザートはチョコレートのムースだった。

「おまえと二人きりで晩ご飯食べるなんて、久しぶりだね」

スープをかきまぜながら母が言った。

「全くだね」

僕は答えた。会話が途切れると、もぞもぞ物を嚙む音しか聞こえなかった。母はベッドの上で上半身だけを起こし、スライドテーブルに載った料理に視線を落していた。

（略）

母はそろそろとささみを口に運び、一口齧った。骨の浮きでた喉が小さく鳴った。

「もしよかったら、チョコレートも食べなよ」

僕は腕をのばし、チョコレートムースをスライドテーブルに置いた。

「じゃあ、おまえはゼリーをお食べ」

（小川洋子『刺繡する少女』角川書店）

と、このようなトーンで物語は進んでいく。「僕」はそのホスピスの中を探索しているうち、昔「僕」が過ごした別荘の隣の家にいた少女と出会う。彼女はボランティアとしてホスピスに出入りしていて、ボランティア室でベッドカバーの刺繡をしている。ふたりは会話を交わし、会話の中で時間軸が過去になったり、現代に戻ったり、夢の中に入ったりで、複雑でちょっとそこは朗読しにくいところなのだけれど、会話と地の文の交互の出現は、朗読するにはとても心地よいリズムを作っている。

ちなみに時間軸が変わった時の読み方は、そのまま続いているように読んではいけません。頭のなかでしっかり「時間が変わった。過去になった」とつぶやくぐらい間をとって、タイムマシンに乗ったみたいな感覚に自分を置いて読み始めること。

よく朗読教室などでは、「そこは間を置いて」と指示されるところですが、本質は頭の中の情景をきちっと入れ替えること。自分がその体験をたどっていることが肝心なんです。

◉どういうふうに読むか

冒頭の「中庭に猫がすみついていますけど、食べ物はやらないようにして下さい」というこのセリフは、「付け足し」で言っています。冒頭なので朗読者としては、たいてい張り切って読んでしまいますが、あくまで自分が何か付け足して言うときの普通のセリフを思い出して、そのまま口にするのです。しかもホスピスの中庭という設定を忘れないでください。

次に続く地の文もホスピスの中ですから、あんまり心弾んで張り切って言わないでください。しかし暗くもない。看護婦さんというのはどんな場合にも平常心を心がけているもの。そのあたりの空気はよくよく想像力をめぐらせてください。

「食べ物はやらない……」

これは「僕」の内心のつぶやきなので、そのようにつぶやくこと。

「太りすぎで糖尿になったものだから、」このセリフも平常心です。あとから地の文で「微笑(ほほえ)んだ」とあるので、ちょっとユーモアがあるでしょうか。

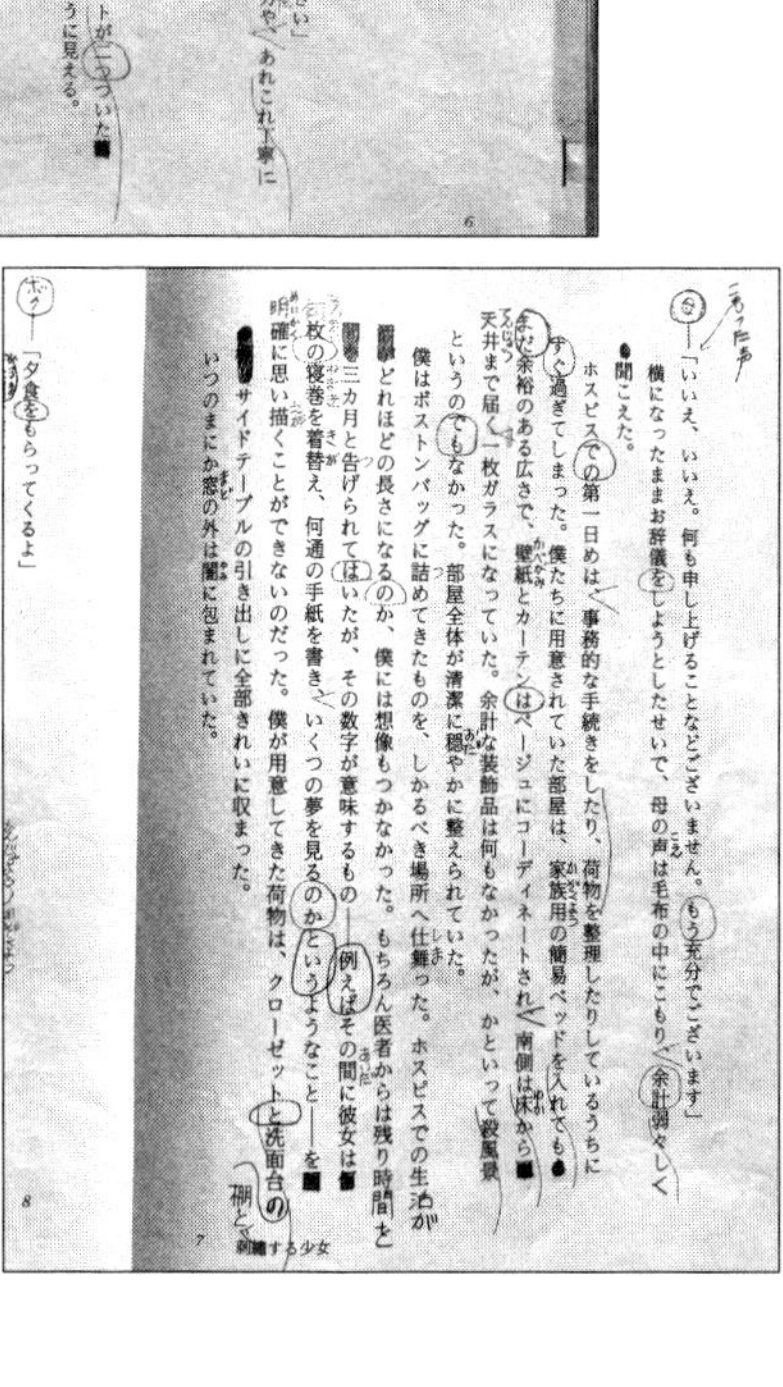

「中庭に猫が住みついていますけど、食べ物はやらないようにして下さい」

シャワールームの使い方や、食堂の利用時間や、ベッドの操作の仕方や、あれこれ丁寧に説明してくれたあと、看護婦さんは付け足して言った。

「食べ物はやらない……」

僕はメモの最後に猫と書いて丸で囲んだ。

「太りすぎで糖尿になったものだから、食餌制限中なんです」

彼女は首を傾けて微笑んだ。ここの看護婦さんはみな、大きなポケットが二つついたピンク色のエプロンを着ているので、洋菓子教室の先生か保母さんのように見える。

「他に何かご質問があれば、どうぞ」

僕はベッドの母に目をやった。

6

「いいえ、いいえ。何も申し上げることなどございません。もう充分でございます」

横になったままお辞儀をしようとしたせいで、母の声は毛布の中にこもり、余計弱々しく聞こえた。

ホスピスでの第一日めは、事務的な手続きをしたり、荷物を整理したりしているうちにすぐ過ぎてしまった。僕たちに用意されていた部屋は、家族用の簡易ベッドを入れてもまだ余裕のある広さで、壁紙とカーテンはベージュにコーディネートされ、南側は床から天井まで届く一枚ガラスになっていた。余計な装飾品は何もなかったが、かといって殺風景というのでもなかった。部屋全体が清潔に穏やかに整えられていた。

僕はボストンバッグに詰めてきたものを、しかるべき場所へ仕舞った。ホスピスでの生活がどれほどの長さになるのか、僕には想像もつかなかった。もちろん医者からは残り時間を三カ月と告げられてはいたが、その数字が意味するもの——例えばその間に彼女は何枚の寝巻を着替え、何通の手紙を書き、いくつの夢を見るのかというようなこと——を明確に思い描くことができないのだった。僕が用意してきた荷物は、クローゼットと洗面台の棚とサイドテーブルの引き出しに全部きれいに収まった。

いつのまにか窓の外は闇に包まれていた。

7 刺繍する少女

「夕食をもらってくるよ」

8

「刺繍する少女」朗読台本

この看護婦さんのセリフを、朗読を勉強している何人かに言ってもらったことがありました。だれが読んでも、どんな人が読んでも自然に聞こえるセリフというのはそうそうないと思いますが、このセリフは誰がどんなふうに読んでも自然に聞こえるのです。つまり看護婦さんのセリフというのは非常に個性的。ああ、こんな看護婦さんいる、いる、と笑いが込み上げてくるぐらい、みんな上手に読みます。どんなにセリフが下手な人でも「こんな言い方する看護婦さんいる！」と聞こえる。つまり看護婦さんという職業はみなその職業観に沿って自分を作り上げている。わざとらしいしゃべり方をしても、それ自体が自然に聞こえるから、どう読んでも、ほんのりユーモラスでなごみ系です。とても怖く読んだ人もいますが、それでも「いるよ、こんな看護婦さん」となるから、作品として一人ひとりが入りやすい面白い導入になります。

「僕」のセリフは女性が読む場合ことさら平板に淡々と読んでください。男性の読み方はえてして平板でくぐもっていて、とくにホスピスでは大声をあげないでしょう。この「平板」な発音がなかなかできない人がいます。特に女性は短い言葉のうちにも音の高低を巧みに取り入れて、聴き手の注意喚起を促すよう、小さい時から自己訓練を積んでいますから、男性の「平板な」セリフは苦手です。音の上げ下げを、知らず知らずのうちに行なっていることに気付かない場合が多いのです。こんなときは短いセリフをひとつターゲットにして、いろいろと音の高低に特化した集中訓練をしてみてください。自分ひとりではわかりませんから、仲間に聴いてもらったり、グループで聴きあったりするのがいいと思います。

母親のセリフはフルに想像力を働かせて、読んでみてください。母親の心情に分け入って、母親になったつもりになることです。会話はすべて人間関係です。

母親のセリフを哀しそうに苦しそうに読みますか？　そう読むこともちろんありますが、案外そうではないと気付く人もいるでしょう。息子に心配かけまいと気丈に振る舞う人もいるかもしれないし、気が強くてちょっと怒っているような言い方をする母親もいるかもしれない。普段からの息子との関係をどうもってくるかで違います。慈母観音みたいにすべてをさとって、優しく息子にかたりかける母親もいるかもしれない。それぞれどんなふうに読もうと、頭の中にその母親が乗り移っていることが肝心です。そうなるとそれだけで自然な読み方のセリフになります。つまりそれだけで小説の世界が聴き手に広がるのです。

＊練習のコツ　会話文の読み方

・失敗を繰り返す

「登場人物の声は変えたほうがいいですか？」という質問はよく受けます。

しかし、声を変えるかどうか、は簡単なことではありません。変えたほうがいいのですが、へんに変えるより変えないほうがいいということが多いのです。

一般的に女性が男性のセリフを読む場合、男性らしく聞こえるようにしようと思うと、たいていがどこか不自然で気持ちが悪いものになります。その逆もしかり。男性が女性のセリフを声を変えて読もうとすると、不自然すぎて背筋が寒くなったりします。

これまでの経験からアドバイスすると、よほど訓練がいるから、すぐになんとかしようと思わないで、失敗を繰り返して、すこしずつ「それらしく」聞こえるように練習していく以外に方法はないと言います。ほんとうはちょっとしたコツさえ呑み込めば、気持ちの悪さは簡単に取り除くことができるのですが。

それにはまず自分ひとりで練習していても、らちがあきません。自分の声を録音して聞いてみるのがわりあい自覚する近道ですが、「あれ不自然だな」と思っても、ではどうすれば自然になるのかがわからない。他人に聞いてもらうのが一番です。でも他人は「気持ちが悪い」とはけっして言ってはくれません。そこを、正直に言ってくれと頼んで、正直な感想を聞く。しかし、どうすればそれらしく聞こえるかは、その聞いてくれる他人がよほど耳のいい人か、朗読のコツをわかっている人か、ともかくそんな人をみつけて聞いてもらうのが一番です。

・人物になりきる

ここでアドバイスできるのは、「声を変えよう」と思うのではなく、頭の中で「セリフを言っている人物になりきる」ことなんです。その登場人物の気持ちに瞬時になって、セリフを言う。声の質を変えるのではなく、こころからその人物になって、声の質は考えなくてよいのです。その人物になれば、おのずと声は自分の声でも微妙にその人物の言いたいことが声に含まれます。その百分の一ほどのニュアンスで、聴き手は瞬時に登場人物のだれがしゃべっているセリフかを聞き分けるのです。人間の感覚はとても鋭くて、声に出している自分自身ではちっとも変化がないと思っても、聴き手にはちゃんと届くのです。

すべては集中力の問題です。ちゃんとそのセリフを言う瞬間に、その登場人物に自分がなっているか、ただ文字を追って、音声変換をしているだけではないか。あるいは、自分の作った声で「この声に違いない」と、声にばかり神経を使っているのではないか。聴き手には読み手のこころのありようが見えてしまうのです。

それならば、「自分には声を器用に変えるテクニックはないので、一本調子で読もう」と決意してやってみることです。しかし一本調子で読みながらも、セリフを言うとき、集中力をもって、その人物の気持ちを汲む。その人物の気持ちやその場の情景に入り込む、成り代わるといったほうがいいかもしれませんが、頭のなかに思い描く。それができればきっとすばらしい朗読になることと思います。

朗読というのは読み手と聴き手の共同作業と思ってください。読み手がその世界をとらえようとおこたりなく努力すれば、聴き手は感覚的にそれをキャッチして、自分の心の中に再構築する能力があるのです。キャッチボールみたいなものです。

6 近代詩の発声とポーズ

◉散文と詩の朗読の違いは

小説など散文の朗読をみてきて、教える側としては、読む人個人の持っている魅力を最大限引き出すということが、いかに大変か、わかってくださったと思います。しかし散文はまだ、具体的で、合理的に書いてある部分も多く、頭の中で大道具や小道具も含めたひとつの舞台空間を作るような作業をするのだと割り切れなくもないところがあります。

それに対して詩の朗読は、読む人の個人的感覚にいくらでも依存していく、摑みどころのない、言ってみれば人の魂のようなものを相手にする取り組みになるので、私もほんとうは〝教えるなんてできない、お手上げ！〟と降参したいくらいなのです。「詩の朗読を教えてほしい」と言われるくらい、内心慌てることはありません。まったく自信がないからです。そんなときは、まず小さく深呼吸して覚悟を決めます。自信はないながら、目の前の人のステップアップに役立つよう、なんとか経験値から考えましょう。

◉「朗読駅伝」での朗読

私は自分で運営する軽井沢朗読館と合わせて軽井沢町立図書館での朗読活動にここ十年以上取り組んでいて、朗読駅伝という市民参加型の文化祭のような朗読祭りを毎年秋おこなってきました。

ひとつのテーマを決めます。たとえば、食べ物を取り上げると祭り自体が面白くなるので、「ぶどう」と決めます。参加したい人はその「ぶどう」がひと言でも入った文章なり、説明文、短歌、絵本、何でもいいのですが、ひとつ五分ぐらいで読める長さのものを持ち寄って、駅伝ですから襷を渡す形で次々と読んでいくのです。町の農水課にも協力をあおぎ、周りには「ぶどう」を並べます。「ぶどう」に関する音楽も演奏したりして、朗読の練習の成果を披露します。お客様は出演者のおいしそうな朗読にあおられて、並んだ商品はいつも完売という一石二鳥のお祭りになるんです。

二〇二三年は軽井沢町の町制施行一〇〇周年とも重なったので、朗読駅伝は食べ物ではなく「軽井沢」というテーマに決まり、一般からの参加者は十六人でした。堀辰雄、吉村順三（建築家）、水上勉といった軽井沢ゆかりの作家たちの作品が朗読されることになりました。立原道造に格別思い入れがあるという参加者の杉山正明さんは、詩の朗読ははじめてながら、ぜひ読んでみたいとおっしゃいます。朗読初体験の吉川紀子さんも「私も立原道造を」と参加表明。立原道造の詩がなんと二作品。どうも吉川さんは「詩」は短いから、小説などを読むより、朗読本番時間が短くて、さっとすぐ過ぎてしまうので苦労が少ないと考えたらしく、私は心の中で「ふふふ、詩はそんなに甘くないよ」とつぶやきます。

考えてみればこちらから頼むことはあっても、積極的に取り上げた人は今までほとんどなかったのです。やっぱり誰にとってもつかみどころがない、どう読んでいいか、さっぱりわからないのだと思います。ちなみに、杉山さんは「のちのおもひに」、吉川さんは「夢見たものは……」を選びました。

◉詩の朗読は声を大きく

私の指導は最初、ちょっとまぬけでした。「自分ひとりで詩を読むのは何の問題もありません。好きなように読めばいいのです。声にださなくて心で叫んでもいいし、ぼそぼそ小さく声にしても、家の中でも海に向かっても、草原でひとり口ずさんでも、シチュエーションは勝手気ままになんでもありの世界です。そんなときは、おもいっきり自分を詩にのせて、泣いても笑っても大丈夫。自己発散させて大丈夫。好きにしてください」と、これぐらいしかまず言うことが思いあたらない。詩はそれでいいと思います。

しかしです、今回のように、それを人に聞かせて、しかもその詩の良さを楽しんでもらおうと思ったとたん、制約が生じます。まず、立原道造『萱草(わすれなぐさ)に寄す』より「のちのおもひに」です。

練習

立原道造「のちのおもひに」

〈原文〉

夢はいつもかへつて行つた　山の麓のさびしい村に
水引草に風が立ち
草ひばりのうたひやまない
しづまりかへつた午さがりの林道を

うららかに青い空には陽がてり　火山は眠つてゐた
――そして私は
見て来たものを　島々を　波を　岬を　日光月光を
だれもきいてゐないと知りながら　語りつづけた……

夢は　そのさきには　もうゆかない
なにもかも　忘れ果てようとおもひ

忘れつくしたことさへ　忘れてしまつたときには
夢は　真冬の追憶のうちに凍るであらう
そして　それは戸をあけて　寂寥のなかに
星くづにてらされた道を過ぎ去るであらう

（立原道造「萱草に寄す」より　青空文庫）

まず、声は大きく言う。小さく発音すると、自分の感情を自分なりに纏めやすいですが、でもお客様には聞こえません。声を大きく出すと、慣れていない人にとっては、詩の情感をコントロールできなくなる、自分の物にできなくなる。でも聞こえるように声を出さなければ。言葉は届いてナンボなんです、と何回もくどくど言います。

スピードは、誰もがはじめのうちは聞き分けられないほど早口で言ったりしますが、そうならないように。自分だけで詩を口ずさむのであればいくら早くてもいいのですが、聞かせるということは、自分以外の人の受け止め方を意識して。

立原道造「のちのおもひに」
QRコードで朗読を聴くことができます。

お客様が詩のイメージについていけるようにする。こんな簡単なことが詩となると、忘れられるのです。

また一律のスピードではありません。大事な名詞を特にゆっくり、高く、大きく言う。これは散文と同じです。

名詞以外のところは、早いところ、ゆっくりなところとその意味あいで違いますが、とにかく自分に酔って振り回されることはやめて、聴き手のことを思いやってください。

口の中で、もごもご言って、よく聞こえないというのは最低。聞こうという姿勢のお客様に迷惑です。詩はできるだけ、一言一言のイメージを自分のなかでしっかり捉えて、大切に発音発声すること。単語ひとつが表わしている世界をきちんと捉えて、集中して発音してください。ゆっくりゆっくり。もうそれだけで詩は充分に伝わります。

◉こころを平らかにして読む

先ほども言いましたが、その詩の世界に没頭するあまり、思い込みが強すぎて、ウェットになる人がいます。「泣きが入る」とよく言いますが、自分で自分の気持ちを込めすぎてしまうのです。自分が泣いてしまうと、聴き手はしらけて、その朗読の世界に入りこめなくなる。そこが朗読の最もむずかしいところかもしれません。自立した、客観的に物事を見る目を持っている人間であることが重要です。

悲惨な状況を読んだ詩などは、特に「泣き」の朗読に陥りがちです。とはいえ、すべてはケースバイケースで、「泣き」が入ってもいい場面ももちろんあります。たとえば舞台のワンシーンなどで、ほんとうに悲痛な役割をもって詩を吟じる場面などは、リアルに泣くのが要求されることもあります。でも今言っているのはあくまでひとりでお客様の前で朗読する場合で、朗読者が泣いては、お客様は泣けなくなると思ってください。

朗読していると、感情移入して泣いてしまうことはあります。五回同じものを読んでも泣いてしまう。それなら百回読めば、泣かなくなります。その状態でお客様に聞いてもらう。そうすれば、お客様はこころの中でその言葉を受け止め、泣いてくれます。

悲しい詩を読むときの心構えは、文章にして伝えるのはむずかしいのですが、こころを平安にして、平らかにして、透明にして、自分たちの生きているこの世界よりもひとつ高い、はるか彼方の純粋な何物かを見つめるような気持ちで詩を読むこと。人によっては、ある種の宗教感覚のような、と言えるかもしれません。ウェットではなく湿度の低い世界です。そこに自分を置いて、言葉を発すること。なんだかむずかしいなあと思われるかもしれませんが、「泣きよりも、爽やかな高みへ昇る感じで」と、自分に言い聞かせて試してください。きっと自分でも予想外の世界が現われるに違いありません。

上記の作品では、「夢は　そのさきには　もうゆかない」――これは自分の気持ちとしては上昇気分ではなく、下降していくこころの状態ですね。そう思って読むと、「もうゆかない」の「も」の発音から低くなって、どんどん小さく尻すぼみになる人が多いのです。でも、こんなところで弱々しくならないでください。それでは言葉の本質が伝わらない。「もうゆかない」は、はっきりゆっくり読んでください。「凍るであらう」も「過ぎ去るであらう」も低く弱々しくならないでください。きちんと、それまでの前の言葉を全部受け止める気持ちで、ゆっくりと堂々と読んでください。

◉ポーズのとり方

吉川紀子さんの読んだ「夢見たものは……」は、吉川さんの女性らしい感性が詩に添いやすいく、とにかくゆっくり、大きく何回も読んでもらいました。一回じゃだめです。何回も何回も。

練習　**立原道造「夢見たものは……」**

〈原文〉

夢見たものは　ひとつの幸福

ねがつたものは　ひとつの愛
山なみのあちらにも　しづかな村がある
明るい日曜日の　青い空がある

日傘をさした　田舎の娘らが
着かざつて　唄をうたつてゐる
大きなまるい輪をかいて
田舎の娘らが　踊ををどつてゐる

告げて　うたつてゐるのは
青い翼の一羽の　小鳥
低い枝で　うたつてゐる

夢みたものは　ひとつの愛
ねがつたものは　ひとつの幸福

立原道造「夢見たものは……」
QRコードで朗読を聴くことができます。

それらはすべてここに　ある　と

（立原道造「優しき歌　Ⅱ」より　青空文庫）

「夢見たものはひとつの幸福」と、真ん中にポーズ（休止）を置かずに続けて読んでみるのと、書かれているとおりの「夢みたものは　ひとつの幸福」とポーズがあるのとでは、どれだけ違うか、自分で声にして感じるのも方法です。ポーズはどのくらいとればいいか、いろいろ試してください。

詩は、行変えのとき、ポーズをとります。それはルールですね。行変えのときはたくさんポーズをとってください。でも、一つひとつのポーズの長さはみんな違うと思ってください。前後にくる言葉の連なりの持つ意味で、ポーズの長さは違ってきます。

この四連の詩には、それぞれ一行の空白がありますね。それも間をあけてくださ い。その間も長さはさまざま。やはりそれぞれを自分の感性でつかんでください。

一度も人前で詩を読んだことのない吉川さんも、自分の感情をいかにコントロールして詩を読むかということに練習のポイントを置いて、「これでもか」と録音して自分の声を聞きながら練習をしました。その結果、お客様はとても感動して、立原道造の世界に引き込まれていました。

◉一編一編がそれぞれ読み方も違う

さて詩は詩人によって、ほんとうに感性が違いますね。たくさんの詩を読んで、その違いを味わうことができる私たちは幸せです。

詩人によって、読むトーンもおのずと変わってきますね。またひとりの詩人の作り出す詩でも、一編一編がそれぞれみな違うし、読み方も違うと思ってください。もっと言うと、一行一行、一行のなかでも刻々と読み方は変化していくのです。

では、言葉の意味を大事に読めばそれでいいかというと、意外な点に注意して読むとステキに響く詩があります。たとえば北原白秋の詩「柳河(やながわ)」。

練習

北原白秋「柳河」

〈朗読台本〉

もうし、もうし、柳河(やながわ)じゃ、
柳河じゃ。
銅(かね)の鳥居を見やしゃんせ。
欄干橋(らんかんばし)をみやしゃんせ。
（馭者(ぎよしや)は喇叭(らつぱ)の音(ね)をやめて、
　赤い夕日に手をかざす。）

薊(あざみ)の生えた
その家は、…………
その家は、
舊(ふる)いむかしの遊女屋(ノスカイヤ)。
人も住わぬ遊女屋(ノスカイヤ)。

裏のBANKO（バンコ）*にゐる人は、…………
あれは隣の継娘（ままむすめ）。
継娘（ままむすめ）。

水に映（うつ）ったそのかげは、…………
そのかげは
母の形見（かたみ）の小手鞠（こてまり）を、
小手鞠を、
赤い毛糸でくくるのじゃ、
涙片手にくくるのじゃ。

もうし、もうし、旅のひと、
旅のひと。
あれ、あの三味（しゃみ）をきかしゃんせ。
鳰（にお）*の浮くのを見やしゃんせ。

（馭者は喇叭の音をたてて、
赤い夕日の街（まち）に入（い）る。）

夕焼（ゆうやけ）、小焼（こやけ）、
明日（あした）天氣になあれ。

＊ＢＡＮＫＯは縁台。スペイン語Ｂａｎｃｏから。
＊水鳥のかいつぶり。

（北原白秋『思ひ出　抒情小曲集』「柳河風俗詩」より）

日本語はたくさんの方言でなりたっていました。大雑把に言うと、言語は北に行くほど口を小さくすぼめて、寒い空気が入らないように発音しますね。南に行けばいくほど、大きく口をあけて開放的になります。九州では母音自体がとても大きく明るく発音されます。

この詩は九州の柳川の〝空気〟をイメージして読んでください。クリークが町

北原白秋「柳河」
QRコードで朗読を聴くことができます。

中いたるところにめぐらされて、その水路には藻がたゆたっています。湿度がたかくて、体の熱気を逃がすためにも、口をあけたいです。ゆっくり呼吸したい。子音は柔らかくふわっと、母音は大きく発音します。

頭の中ではその空気、湿度に意識を集中してください。もうもうとクリークからあがってくる水気を含んだぼってりした空気です。自分がいるところはそんな柳川だというイメージで詩を読む。

一方で、同じ北原白秋の「落葉松（からまつ）」です。

練習　北原白秋「落葉松（からまつ）」

〈朗読台本〉

一

からまつの林を過ぎて、
からまつをしみじみと見き。
からまつはさびしかりけり。
たびゆくはさびしかりけり。

二

からまつの林を出でて、
からまつの林に入りぬ。
からまつの林に入りて、
また細く道はつづけり。

三

からまつの林の奥も
わが通る道はありけり。
霧雨のかかる道なり。
山風のかよふ道なり。

四

からまつの林の道は、
われのみか、ひともかよいぬ。
ほそぼそと通う道なり。
さびさびといそぐ道なり。

五

からまつの林を過ぎて、
ゆえしらず歩みひそめつ。
からまつはさびしかりけり、
からまつとささやきにけり。

六

からまつの林を出でて、
浅間嶺(あさまね)にけぶり立つ見つ。
浅間嶺にけぶり立つ見つ。
からまつのまたそのうえに。

七

からまつの林の雨は
さびしけどいよよしづけし。
かんこ鳥鳴けるのみなる。
からまつの濡るるのみなる。

北原白秋「落葉松」
QRコードで朗読を聴くことができます。

八　世の中よ、あわれなりけり。
常なけどうれしかりけり。
山川（やまがわ）に山がわの音、
からまつにからまつのかぜ。

（北原白秋　詩集『水墨集』より）

軽井沢・千ケ滝地区の落葉松林の中、乾いた清澄な空気感です。落葉松林に足を踏み入れて歩いていく。そのパノラマの景色がじゅんじゅんと変わってゆく。サクサクと落ち葉を踏む音もイメージしながら、詩はその全体の世界に自分を置いて読むこと。

同じ詩人の作品でも全然違います。イメージするだけで声にはそのイメージの波動が含まれていて、つたわっていくと信じてください。

詩の朗読はこのように、説明するのがむずかしい。自分でも実はわかっていないのですから。でも基本の言葉の性質を理解して読んでいると、詩の魂は向こうからやってきます。

青木裕子（あおき・ゆうこ）
1950年、福岡県生まれ。朗読家。津田塾大学を卒業後、1973年にNHKに入局。アナウンサーとして「スタジオ102」や「ニュースワイド」で活躍。定年退職後、2010年、私費を投じて日本で初めての軽井沢朗読館を設立。また2013年、軽井沢町立図書館長に就任。現在、顧問・名誉館長。著書に『再婚トランプ』(1992年、朝日新聞社刊)、『軽井沢朗読館だより』(2017年)、『朗読ワークショップ』(2021年、アーツアンドクラフツ刊）がある。

朗読（ろうどく）ステップアップ
—朗読ワークショップ2—

2024年6月10日　第1版第1刷発行

著　者◆青木裕子（あおきゆうこ）
発行人◆小島　雄
発行所◆有限会社アーツアンドクラフツ
東京都千代田区神田神保町 2-7-17
〒101-0051
TEL. 03-6272-5207　FAX. 03-6272-5208
http://www.webarts.co.jp/
印刷　シナノ書籍印刷株式会社

落丁・乱丁本はお取り替えいたします。
ISBN978-4-908028-95-3 C0095